COLEÇÃO VIAGENS RADICAIS > SÉRIE
AVENTURA EXTREMA

DE LONDRES A KATHMANDU

AVENTURAS NA ESTRADA DO ORIENTE

MARCELO ABREU

COLEÇÃO VIAGENS RADICAIS > SÉRIE
AVENTURA EXTREMA

DE LONDRES A KATHMANDU

AVENTURAS NA ESTRADA DO ORIENTE

4ª EDIÇÃO

EDITORA RECORD
RIO DE JANEIRO • SÃO PAULO
2003

CIP-Brasil. Catalogação-na-fonte
Sindicato Nacional dos Editores de Livros, RJ.

A146d
4ª ed.
Abreu, Marcelo
   De Londres a Kathmandu: aventuras na estrada do Oriente / Marcelo Abreu. – 4ª ed. – Rio de Janeiro: Record, 2003.

   ISBN 85-01-05453-4

   1. Abreu, Marcelo – Viagens. I. Título.

98-1923
CDD – 910.4
CDU – 910.4

Projeto gráfico e diagramação: Júlio Faao

De Londres a Kathmandu: aventuras na estrada do Oriente

Copyright © 1998 by Marcelo Abreu

Direitos exclusivos desta edição reservados pela
DISTRIBUIDORA RECORD DE SERVIÇOS DE IMPRENSA S.A.
Rua Argentina 171 – Rio de Janeiro, RJ – 20921-380 – Tel.: 2585-2000

Impresso no Brasil

ISBN 85-01-05453-4

PEDIDOS PELO REEMBOLSO POSTAL
Caixa Postal 23.052
Rio de Janeiro, RJ – 20922-970

EDITORA AFILIADA

Para meus pais,
Benedito e Zélia,

e para
Luci

"...the crazed voyageur of the lone automobile presses forth his eager insignificance in noseplates & licenses into the vast promise of life..."

Jack Kerouac, escritor norte-americano

Sumário

Introdução *11*
1 — Cruzar o canal e seguir em frente *13*
2 — Istambul *25*
3 — O pudim hippie *33*
4 — Às Portas de Damasco *39*
5 — *Salaam aleikum*, Hafez-al-Assad *47*
6 — Rumo ao deserto *53*
7 — Água, água, água *63*
8 — Curdistão – o começo do fim do mundo *67*
9 — De volta a 1376 *77*
10 — Pra lá de Teerã *93*
11 — Pelo Baluquistão *101*
12 — Caminhões, sorrisos e balas *109*
13 — Luzes, cores, orações — a Índia *129*
14 — O marajá não mora mais aqui *145*
15 — Filhos de Deus, vacas sagradas *155*
16 — O caminho para Kathmandu *167*

Introdução

No final dos anos 70, antes de uma sessão de *Rock é rock mesmo*, documentário sobre o Led Zeppelin, eu assisti a um trailer do filme *Os caminhos de Kathmandu*. Não cheguei a ver esse filme na época, mas uma coisa nunca me saiu da cabeça: a idéia de partir da Europa e chegar a Kathmandu, no Nepal, percorrendo as estradas do Oriente. Pouco depois, eu viria a saber da existência de uma trilha hippie entre a Europa e a Índia (ou Nepal) percorrida por cabeludos em busca de aventuras. Os hippies refaziam a seu modo trechos da antiga Rota da Seda, a primeira grande estrada do mundo.

Essa trilha, no entanto, seria interrompida a partir do fim da década de 70 por uma série de guerras, revoluções e crises políticas em países que ficam no meio do caminho. O Afeganistão entrou em guerra civil, fundamentalistas fizeram a Revolução Islâmica no Irã, o conflito Irã-Iraque durou quase dez anos, e depois explodiu a guerra civil na Iugoslávia.

Mas os anos se passaram, crises políticas surgiram em outras partes do planeta e, aos poucos, alguns aventureiros voltaram a desafiar as fronteiras rumo ao Oriente. Eu estava morando em Londres quando a idéia de fazer a viagem começou a ganhar contornos mais definitivos.

Viajar *overland*, como dizem os ingleses, é viajar por terra, da forma mais tradicional, sem tirar os pés do chão. Claro que aqui e ali é necessário pegar um navio para uma travessia curta. Os aviões, no entanto, estão descartados. *Overland* é viagem à moda antiga, sujeita à poeira, aos encontros, ao cansaço e à contemplação que só as estradas e os grandes percursos podem proporcionar.

Depois de muito planejamento, decidi me juntar a uma expedição. Além de algum dinheiro, os ingredientes principais para pegar a estrada seriam o tempo livre e uma imensa dose de paciência para vencer a burocracia e conseguir os vistos necessários para cruzar as fronteiras.

Após conseguir o dinheiro, o tempo e os vistos, chegou a hora de arrumar a mochila e pôr em prática a idéia. Esta é a história desse desafio.

1 — Cruzar o canal e seguir em frente

ENTREI NUMA PAPELARIA, COMPREI DOIS filmes para slides, este caderno de anotações, e dei por encerrada a minha temporada na Inglaterra. Agora tudo que tenho a fazer é correr com a mochila nas costas rumo à Victoria Coach Station, onde pegarei o ônibus das 8h30 para chegar ao porto de Dover.

Já dentro do ônibus da National Express é que percebo como estou completamente encharcado de suor. É uma manhã de verão daquelas abafadas e de céu cinzento, com multidões de turistas entupindo as ruas centrais da cidade. Um daqueles dias em que dá uma vontade imensa de ir embora. O ônibus passa por alguns subúrbios do sudeste de Londres. São bairros cinza com todas as casas iguais, lojinhas pobres e gente carrancuda nas calçadas indo para o trabalho. Tudo parece confirmar a certeza de que é mesmo a hora de cair fora.

A manhã foi de muita correria até aqui. Levantei-me às 4h30 para arrumar de última hora a mochila. Peguei o metrô no norte de Londres até a Victoria Train Station, fui à papelaria e de lá ainda corri para a outra estação, de onde sai o ônibus. Quase não dava tempo de fazer tudo.

Enquanto confiro mentalmente todos os detalhes e me certifico de que não esqueci nada importante, Londres já desapareceu de vista. Não olho para trás. Ao lado da estrada, o verde das colinas suaves do sul da Inglaterra já domina a paisagem. E em pouco mais de duas horas estarei chegando a Dover, para o encontro marcado com meus companheiros de viagem.

Estou sentado na estação de embarque para o navio que me levará à França, quando uma garota muito magra, usando um boné virado para trás com um rabo-de-cavalo, roupas folgadas e sandálias de couro, me pergunta em um sotaque meio estranho:

— Você, por acaso, não está com uma viagem marcada para Damasco?
— Opa, sou eu mesmo — dou um pulo da cadeira.

Essa garota é Ute, uma das motoristas do caminhão que vai inicialmente me levar a Damasco, na Síria. Caminhamos até o caminhão estacionado ali fora, e sou apresentado a Harry, o outro motorista. Harry é um sujeito alto, de cabelo muito curto e braços musculosos. Usa uma camiseta surrada e calção de banho. Os óculos pretos que encobrem boa parte do rosto lhe dão um aspecto meio ameaçador. Mas ao me cumprimentar, ele abre um sorriso largo e parece ser um cara simpático.

Em poucos instantes estamos entrando no navio que vai cruzar o Canal da Mancha com caminhão e tudo. No controle de passaportes, descubro que Ute é da Suécia e Harry é da Nova Zelândia. Já dentro da embarcação, vamos para o restaurante, reservado aos caminhoneiros, que tem preços superbaratos. Conversamos alguns minutos sobre os planos de viagem e Ute me dá algumas informações sobre o roteiro.

Mas logo eu me desvencilho da companhia dos dois para observar os primeiros horizontes da viagem no Canal da Mancha. Atrás do navio, a Inglaterra já desapareceu na sua eterna bruma e, à nossa frente, as praias do norte da França começam a despontar com muita gente nadando em uma área portuária aparentemente poluída.

No controle de passaportes da França, guardas de caras fechadas portam metralhadoras em posição de alerta como se guardassem um país da antiga Cortina de Ferro. E estamos apenas passando entre dois países amigos pertencentes à União Européia. Um sinal nada estimulante para quem tem a intenção de cruzar muitas fronteiras nos próximos meses.

Mas nada detém o entusiasmo. Afinal de contas, até agora deu tudo certo: encontrei o "meu caminhão" na hora marcada, saímos da ilha sem problemas e estamos na estrada, a caminho do Oriente, com a inevitável música do Steppenwolf na cabeça: "Born to be wild".

Quando pegamos a estrada francesa, após sairmos do porto de Calais, Harry me convida para sentar lá na cabine e bater papo. Começa a me falar sobre o caminhão que estamos usando para a viagem, um Mercedes fabricado na Alemanha em 1985 e adaptado na Inglaterra para o formato atual. A carroceria de carga foi retirada e, em seu lugar, foi colocada uma estrutura de ônibus com 23 cadeiras divididas por um corredor. Entre uma fila de cadeiras e outra foram instaladas amenidades como um refrigerador e duas mesas pequenas. Lá atrás há um espaço para se guardar livros e guias de viagem.

Por dentro, o Mercedes parece mesmo um ônibus razoavelmente confortável. Por fora, no entanto, aquela carroceria alta e branca marcada por janelas espaçosas dá a ele uma aparência no mínimo curiosa. Parece indicar que se trata mesmo de um veículo para aventuras, usado por um grupo de loucos dispostos a tudo. Só há, pelo menos por enquanto, três loucos aqui dentro.

Harry e Ute trabalham para a Dragoman, uma empresa especializada em grandes viagens transcontinentais. A tarefa deles é levar este caminhão até a Índia, onde ele será utilizado por um grupo de estrangeiros para fazer uma excursão pelo país. Para fazer todo o percurso até a Índia, entretanto, não apareceram muitos passageiros. Apenas eu me candidatei para ir com eles até a Ásia. Em Damasco, na Síria, talvez outras pessoas se incorporem à viagem. Os dois motoristas têm cerca de três meses para fazer a viagem, o que nos dará tempo de parar todas as noites para dormir e conhecer alguns lugares interessantes. O plano parece perfeito para mim, sobretudo porque terei espaço de sobra dentro do caminhão.

A sensação de estar na estrada sem hora para chegar e um objetivo bem distante à frente é sempre das mais animadoras. Lembro-me das grandes viagens de ônibus pelo Brasil e das vezes que cruzei o Canadá e os Estados Unidos de costa a costa, sempre usando ônibus. Desta vez, no entanto, o trajeto promete ser bem mais difícil e, se tudo der certo, muito mais gratificante.

Nesse primeiro dia, a França se abre à nossa frente com as suaves colinas da região do norte e da Picardia, cheias de capim balançando ao vento. As estradas são excelentes, mas há pouco movimento e praticamente nenhuma casa nos campos. A França sempre me parece um país fantasma quando transito pelas auto-estradas do centro e do norte. É tudo muito deserto no campo se comparado a outros países europeus. Onde estão os 58 milhões de franceses? Muitos deles, certamente, estão enchendo as ruas de Londres na invasão anual do verão.

Harry me fala da sua distante Nova Zelândia, da vida na estrada há mais de dez anos, da viagem que fez pelo norte e pelo centro do Brasil. O papo é bom e ajuda a passar o tempo, porque a paisagem vai ficando mais tediosa à medida que a tarde avança. Só paramos para dormir quando anoitecia às 21h30 em Langres, uma cidade pequena da região de Champagne. A cidade fica em cima de um pequeno monte e é cercada por uma muralha medieval. Acaba sendo uma parada agradável para os franceses que, durante o verão, percorrem o interior do país acampando.

Com dificuldade, entramos com o caminhão grande em um camping perto do centro da cidade. O dia de viagem havia sido longo e cansativo. Mas ainda teríamos de montar uma barraca, antes de seguir para a rua principal e comer alguma coisa. Langres se revelou uma bela cidade francesa, com todo o charme europeu de bons restaurantes com mesas nas calçadas e uma catedral construída no século XIII. Só que, às 10 da noite, os lugares que serviam comida já estavam fechando. Conseguimos comer apenas panquecas em um restaurante *tex-mex* chamado Bananes. Voltamos ao camping passando por um estranho beco de um metro de largura, todo iluminado com luzes vermelhas e completamente deserto. A primeira noite na estrada é sempre difícil, mas dormi bem na minha tenda porque o cansaço era grande.

Acordamos no meio do nevoeiro, no dia seguinte. Depois do tedioso trabalho de desarmar a tenda, dou uma escapada para comprar água e pão num mercadinho e volto rápido para tomar um chá e desfrutar a tranqüilidade da manhã no camping. Saímos de Langres rumo ao sul passando por estradinhas arborizadas que lembram aqueles filmes sobre a resistência francesa na Segunda Guerra e mais tarde os filmes da *nouvelle vague*. Depois pegamos a auto-estrada.

Agora sim! Com uma noite bem dormida, banho tomado e sem a tensão do dia anterior, é sentar na poltrona, abrir a janela e deixar as paisagens rolarem para sempre. O caminhão tem um excelente toca-fitas, com alto-falantes espalhados por vários lugares. Antes da viagem, Ute e Harry se abasteceram de centenas de cassetes de música pop/rock e até clássicos. O repertório é um tanto comercial para o meu gosto, mas para quem já viajou pelo Meio-Oeste dos EUA ouvindo country, está tudo muito bem. Colocam no som o pop viajandão de Bob Seger, perfeito para grandes percursos. E depois atacam de Rachmaninoff, as primeiras trilhas sonoras de uma longa viagem.

Ao meio-dia o calor já é insuportável e a auto-estrada ferve, quando paramos para ir ao banheiro. O que eu havia visto no camping se repete aqui. Sanitários no estilo asiático com apenas um buraco no chão. E nós ainda estamos na França. Depois da cidade de Bourg, o terreno fica montanhoso e começamos a passar por belos vilarejos numa estrada de muitas curvas até chegarmos, no meio da tarde, a Annecy, um verdadeiro cartão-postal europeu. Coloco uma garrafa de água mineral debaixo do braço e desço do caminhão maravilhado pelo centro da cidade. As cores, a arquitetura de estilos diferentes, a limpeza das ruas, quanta beleza e diversidade na França, se comparada com a sombria Inglaterra de comércio e arquitetura padronizados.

A cidade fica à beira do Lago de Annecy, que tem águas na cor azul-turquesa. Na rua Sainte Claire, estão à venda queijos imensos, mel, pães e uma estranha espécie de cabaça. São produtos do departamento de Alta Savóia, nos Alpes franceses. Em plena economia pós-industrial, com o setor de serviços e o turismo em evidência, essa região conserva características pré-industriais. Muitas famílias vivem de atividades como a extração do mel e a fabricação artesanal de queijos e vinhos. Annecy me abastece das mais belas imagens européias. Quando eu estiver no meio do Oriente Médio, talvez me lembre com saudades desta cidade.

Mas nada é perfeito. Annecy, nesta tarde quente de verão, está entupida de turistas, sobretudo italianos, que chegam em grupos de 50 ou mais, em ônibus lotados. E são eles também que lotam os restaurantes e compram mel na rua Sainte Claire. É aquele velho tema de discussões: os turistas descaracterizam a cidade. Mas será que sem a grana que eles trazem, uma cidade como Annecy estaria tão bem conservada e bonita? Qualquer que seja a resposta, fico imaginando como deve ter sido este local nos anos 50, antes do fenômeno do turismo de massas, mas já com o conforto do século 20. As margens do Lago de Annecy lembram imagens da Riviera Francesa dos anos 50, do Festival de Cannes, do circuito de Le Mans. Mas lembram também que os anos 50 não aconteceram em preto-e-branco como mostram as fotos.

Chegamos a um camping não muito distante do lago e muitos adultos e crianças vieram nos ver, interessados no estranho caminhão. Armamos a tenda em um lugar desnivelado, o que me faria, mais tarde, passar uma noite desconfortável. Conversamos com um quarentão inglês acompanhado de duas crianças. Ele diz que quando era mais jovem pensava também em ir ao Oriente de caminhão. Mas acabou nunca pegando a estrada.

— Mas cuidado, porque existem muitos bandidos nessas estradas por onde vocês vão passar — adverte ele.

Antes de dormir, ouço o Serviço Mundial da BBC no radinho de ondas curtas, para saber o que se passa à nossa frente. Nenhuma notícia sobre a rebelião curda no leste da Turquia ou sobre os conflitos religiosos no Paquistão, dois problemas que podem atrapalhar a viagem.

Na manhã seguinte, pegamos uma estradinha rumo à Itália. À esquerda, além do lago, o imponente Mont Blanc, a montanha mais alta da Europa, com 4.807 metros de altura, separando a França da Suíça. Esta é uma área de tantas belezas que o Mont-Blanc tem de disputar a nossa atenção com outros picos nevados e com os lagos, chalés e pequenos vilarejos que aparecem a todo momento. Paramos para tirar umas fotos e aproveitar o ar leve e a tranqüilidade dessa bela manhã ensolarada. Voltamos à estrada prosseguindo viagem com os espíritos elevados por tanta beleza, mas, logo na entrada de um túnel, deparamos com a polícia.

Somos parados por um pequeno grupo de policiais franceses. Ficam assustados ao ver o caminhão. Agem como se estivessem diante de uma nave espacial de outro planeta. Fazem perguntas absurdas, tentam entrar no veículo, mas não acertam a porta.

— Pra onde vão? Quem são vocês? De quem é este ônibus? Ah, é um caminhão? O que estão levando? E você aí atrás, de onde é? Do Brasil? Precisamos entrar!

Harry desce, abre a porta traseira para o policial e ele entra esbaforido e se surpreendendo com tudo que vê no caminhão. O refrigerador, as cadeiras vazias, o monte de livros, mapas e folhetos que levamos, as fitas cassetes. Abre uma bolsa de mão minha e pergunta:

— Você tem haxixe?

Escuto Harry respondendo lá fora à mesma pergunta. Após dez minutos, nada tendo encontrado que fosse contra a lei, nos deixam prosseguir. Foi mais uma vez preocupante. Se esse caminhão está atraindo toda essa atenção na França, o país do camping, imagine o que pode acontecer mais adiante.

Pegamos um imenso túnel que nos leva ao outro lado da montanha, onde já é território italiano. E as margens da auto-estrada passam a mostrar uma paisagem mais modesta de um país evidentemente não tão próspero quanto a França. Estamos numa sexta-feira de verão que é feriado nacional, quando a Itália toda pára. Num posto de gasolina, o bombeiro pergunta de onde somos. Ao ouvir Brasil, tem uma reação típica dos italianos. Canta um trecho de *Aquarela do Brasil*, dançando animadamente.

Depois das estradas tortuosas do norte, entramos no ritmo das rodovias italianas nas imensas retas que nos levariam ao sul do país. Primeiro em direção aos subúrbios de Milão. Depois em direção a Piacenza, Modena, Bolonha, Rímini e Ancona. Transitamos pela auto-estrada A-14 a mais de cem quilômetros por hora, tentando chegar antes da noite a um camping, quanto mais ao sul melhor. A Itália é apenas um detalhe curioso em nosso roteiro. E infelizmente, das auto-estradas, não se vê nada da Itália. Apenas velhas casas em ruínas, planícies e os automóveis que nos ultrapassam em alta velocidade. Quando escureceu, estávamos na província de Marche, na costa do Mar Adriático, procurando por um camping legal que, segundo indicava um mapa, existia na cidade de Civitanova Marche.

Próximo à cidade, uma nova barreira policial nos deteve por alguns minutos, mas desta vez sem fazer muitas perguntas. Encontramos uns acampamentos bem precários entre a avenida da praia e o mar. Ao subir as colinas para procurar um outro camping, nos perdemos feio, e a noite cai, complicando mais as coisas. Depois de meia hora chegamos ao camping. Havia sido um dia longo, no qual percorremos uns 790 quilômetros, e Ute ainda fez questão de pechinchar cada centavo.

O camping mais parece um arraial de interior, com muitas barracas, famílias que jantam nos restaurantes ao som de uma bandinha de quinta categoria tocando ao vivo, crianças correndo ao redor. Comemos pizzas observando a ginga do povo italiano a nossa volta, latinos e sofisticados, uma grande diferença para quem se acostumara à paisagem humana do norte da Europa. Vou tomar um banho numa ducha distante e na volta escuto a bandinha tocando uma versão italiana de *A Whiter Shade of Pale*. Decido dormir ao ar livre, sem barraca, afinal já são quase 11 da noite e não há forças para montar uma tenda a essas horas. Mas quando vou conferir o terreno com uma lanterna, percebo que há um cachorro rosnando por perto, do outro lado de uma cerca. Decido dormir dentro do caminhão, lá no banco traseiro, confortável, mas extremamente quente.

Hoje temos uma tarefa definida pela frente. Chegar a Bari, no sul da Itália, e pegar um navio em direção à Grécia. O dia começa com a ida a um supermercado, onde eu me abasteço de seis garrafas de água mineral que vão me segurar por uns dias. E aí estamos de volta às auto-estradas sem fim, margeando novamente o Adriático em direção a Pescara e Foggia. A paisagem vai ficando mais árida e o trânsito continua intenso e veloz. O calor aumenta e o asfalto parece ferver à nossa frente.

Chegamos a Bari bem antes do que precisávamos e fomos direto para o porto, onde uns tipos suspeitos nos olham curiosos. Só havia homens na área, muitos caminhoneiros, alguns caminhões com inscrições em árabe e em turco. Aqui começa a aventura rumo ao desconhecido, eu pensei. Adeus, tranqüilidade européia. Ute e Harry fizeram questão de deixar todo o dinheiro no cofre do caminhão. Diziam ser muito perigoso levar qualquer coisa conosco para dentro do navio.

— Além disso, pode ser muito cheio de gente lá dentro — dizia Harry.

Não pode ser tão ruim assim. E não foi. Embarcamos no "Charm M", um navio da companhia Marlines com capacidade para 1.300 passageiros, 350 carros e para o nosso caminhão, que levou meia hora para ser colocado no porão, numa manobra complicada. Tentamos uma cabine para dormir, mas não havia vagas. Sentamos nas cadeiras disponíveis para os passageiros sem cabines.

Ainda havia duas horas para a partida. Para passar o tempo, um bom livro sobre a Turquia, com explicações detalhadas sobre a língua turca. Por uns minutos, estudo a complicada função da harmonia vocal no idioma turco. É o dispositivo pelo qual os sufixos concordam foneticamente com a raiz das palavras, um verdadeiro quebra-cabeça lingüístico. Bom mesmo para passar o tempo.

Saí para o convés principal para observar lá de cima o litoral italiano e a cidade de Bari, que esteve recentemente nos noticiários devido à chegada de refugiados da Albânia. Do outro lado, o mar e a Grécia.

Zarpamos às 8 da noite. Eu não queria perder um minuto daquilo tudo e fiquei muito tempo no convés lá de cima, ao ar livre. O navio se afastava das luzes do litoral italiano e nós navegávamos para o sul. Fiquei ouvindo no walkman emissoras de rádio da Itália e dos países da ex-Iugoslávia, enquanto pude agüentar a ventania. Esperava que as luzes do litoral italiano desaparecessem por completo, mas isso parecia que não ia acontecer nunca.

Comecei a procurar um lugar para dormir. A idéia de dormir no convés era tentadora. Rumo à Índia, dormindo sob as estrelas no convés de um navio grego. Nada mais romântico. Mas prevaleceu a precaução. Havia uns rapazes de ar sinistro andado à toa no convés e eu me lembrei da possibilidade de ser roubado enquanto dormia. Além do mais, as caldeiras do navio exalavam muita fumaça preta, o que incomodava bastante. Acabei voltando ao salão comum do navio. Comi biscoitos com água e dormi no chão, em cima de minha esteira, entre uma fila de cadeiras e outra. Outra noite de desconforto e calor.

Acordei cedo para curtir a paisagem, e quando saí para o convés, já navegávamos muito próximo às montanhas do sul da Albânia. É impressionante pensar que a apenas alguns quilômetros do navio, esse país se encontrava no caos absoluto. Tentei durante quase uma hora identificar algum sinal de vida no litoral albanês. Nada. Somente montanhas em meio à bruma, rochedos e vegetação densa e verde. Do outro lado foi surgindo a ilha de Corfu, e pudemos ver as primeiras imagens da Grécia. Eram vilas de pescadores com casinhas brancas como as que habitam o imaginário popular.

Do lado esquerdo do navio, a Albânia se torna Grécia e logo avistamos Igoumenitsa, nosso porto de chegada. A Grécia nos espera tranqüila como uma manhã de domingo. Levamos um bom tempo para desembarcar porque o navio realmente carregava uma multidão. Em terra, trocamos dinheiro e dentro de poucos minutos já estávamos na estrada de novo. Imediatamente passamos a transitar por estradas estreitas que cortam montanhas áridas. De vez em quando, um vilarejo com bares lotados de homens em mesas nas calçadas e, muitas vezes, até a presença de um padre ortodoxo todo de preto, barba longa e batina. É a realidade confirmando os estereótipos sobre a Grécia.

As curvas e as montanhas se tornam cada vez mais acentuadas até chegarmos à cidade de Metsovo. Nesse ponto a paisagem se torna alpina e o clima fica ameno. Frutas são vendidas na beira da estrada, na área do Desfiladeiro de Katara, que tem 1.419 metros de altura. Durante toda a viagem, ouço no meu walkman as FMs gregas que tocam muita música local e têm muito pouco papo. E a música é de alta qualidade com a presença constante do *bouzouki*, um instrumento de cordas também usado pelas melhores bandas influenciadas pelo folk no Ocidente.

Chegamos a Kalambaka no meio da tarde e fomos ao camping Meteora Garden. Eu decido ficar em um hotel para dormir melhor e recuperar as forças. No camping, um homem já de idade nos informa sobre um hotel usando uma divertida mistura de inglês, alemão, espanhol e grego.

Acabo ficando numa *domatia*, um hotel caseiro e confortável. Durmo até o começo da noite e saio para jantar em Kalambaka. No centro, muitos restaurantes anunciando pratos típicos gregos como *mousaka*, *gyros* e *souvlaki*. A cidade é pequena e cheia de construções novas, residências e lojas no centro, praças com a garotada tomando sorvete e batendo papo. É assim que seria o Nordeste brasileiro se o Brasil estivesse, como a Grécia, no chamado Primeiro Mundo. No restaurante, o garçom se surpreende com o fato de eu ser do Brasil e elogia o futebol brasileiro.

— Romário, Ronaldo...

No segundo dia em Kalambaka fomos de caminhão visitar alguns dos monastérios de Meteora construídos nos séculos XII e XIII sobre incríveis rochas de mais de 500 metros de altura. É em torno desses monastérios que a cidade de 10 mil habitantes vive hoje atraindo turistas de toda a Europa. A indústria turística sustenta os restaurantes, hotéis e vendedores de suvenires que proliferam no centro.

A caminho dos monastérios, espero por Ute e Harry na estação ferroviária junto a uma moçada de cabelos loiros do norte da Europa, que aguarda um trem. Penso sobre essa história de vida na estrada. O que parecia revolucionário quando viajei pela primeira vez em 1984 — passar o verão na Europa com uma mochila nas costas — hoje me parece um lugar-comum insuportável. Não há nada mais previsível do que um alemão de mochila nas costas no interior da Grécia. É o roteiro clássico do qual estou tentando fugir.

Resolvemos sair bem cedo no dia seguinte em direção à fronteira com a Turquia e foi um dia de viagem muito proveitoso. Era ainda noite fechada quando saímos e, logo que a manhã surgiu, a neblina tomou conta da estrada. Quando o nevoeiro se dissipou, descobrimos estar em uma região bem diferente do que tínhamos visto até então. Seguíamos para o leste por uma estrada reta e plana, com montanhas só ao longe. Essa não era de forma alguma uma área turística, o que dava para perceber pela ausência de anúncios de hotéis em inglês. Logo chegamos aos arredores da cidade de Larissa, região da Tessália, e seguimos para o norte, agora pegando uma auto-estrada.

Paramos para o "café da manhã" na praia de Limenas Litohorou, próximo ao mitológico Monte Olimpo. Estávamos tomando chá ao lado do caminhão, quando apareceu uma mulher gorda e fez um sinal como se quisesse dizer:

— Dêem o fora. Não acampem em frente ao meu restaurante.

Mas Ute explicou que era só por dez minutos e continuamos ali.

A partir desse ponto a paisagem do norte da Grécia mudava a cada meia hora e a viagem fluía rapidamente. Para minha decepção, não passamos pelo centro de Tessalônica, a segunda maior cidade do país. Pegamos uma perimetral para evitar o trânsito e o centro da cidade. Mas nos arredores de Tessalônica, paramos em frente a um restaurante para dar uma olhada nos pneus do caminhão. Eu fui ao banheiro e na volta encontrei um grego aos berros com Ute e Harry, ameaçando chamar a polícia se não retirassem o caminhão imediatamente dali. Esse foi o mais grave caso de grosseria dos gregos que encontramos até então.

Conversando depois, percebemos que em dois dias de Grécia tinham acontecidos vários pequenos incidentes de falta de educação da população local em relação à nossa presença. No dia anterior, por exemplo, fui comprar um sabonete em um armazém. Para retirar o dinheiro do bolso e pagar, eu coloquei o sabonete debaixo do braço. Uma mulher idosa pensou que eu estava tentando roubar o produto e chamou o dono da loja. Mas os berros do dono do restaurante em Tessalônica superaram todos os recordes em termos de falta de educação. Resolvemos dar o fora rapidamente.

Mais tarde, paramos em Asprovalta, um balneário agradável com poucos turistas estrangeiros, o que é raro na Grécia. Já em plena região da Macedônia passamos por Kavala, uma enorme e movimentada cidade que fica numa baía, e em seguida por Xanthi e Kamotini, observando as montanhas de Rodopi que dividem a Grécia da Bulgária. Depois de Komotini, o clima passa a ser meio de fronteira. Já se vêem nas ruas mulheres cobrindo a cabeça com lenços, caminhões da Turquia, música turca nas FMs, menos habitações e muitas bandeiras gregas acentuando o chauvinismo nacionalista que existe entre Grécia e Turquia. Nessa região, muitas casas têm no teto coletores de energia solar para aquecer água.

Paramos em Alexandroupoli para passar a noite em um camping na beira da praia. Estávamos a poucos quilômetros da Turquia. No dia seguinte, mergulharíamos de vez no tão esperado Oriente.

2 — Istambul

Entrego a chave do quarto onde dormi perto do camping de volta à gerente. Ela me atende sem dizer uma só palavra. A educação parece não ser mesmo o forte dos gregos que trabalham no setor de serviços. Passamos por dentro da cidade de Alexandroupoli, que me parece bem mais rica do que o que vimos no resto da Grécia. Cruzamos com caminhões militares com pinturas camufladas e seguimos direto para a fronteira. No lado grego, Harry se encarrega de levar os passaportes para carimbar e tudo é rápido. Atravessamos uma ponte ocupada por soldados gregos e, a partir da metade, soldados turcos. No posto de controle da Turquia, o padrão de conservação das instalações cai dramaticamente. É como se a Europa Unida acabasse mesmo nesta fronteira. Mas imediatamente ressurge o clima de cordialidade. A Grécia, país sem sorrisos, ficou para trás e não deixa saudades.

Tento obter o visto para entrar na Turquia e o policial diz:

— Non visa — e aponta para o guichê seguinte: — Polis.

Eu decifro a mensagem como sendo "Você não precisa de visto. Pode ir direto para o controle de passaporte com a polícia".

Chego ao guichê seguinte e um segundo policial me manda de volta à seção de vistos. Mas o responsável pela seção insiste em pensar que brasileiros não precisam de vistos. Após uma breve discussão com o colega, se convence do contrário e me concede o visto por 20 dólares. Volto ao policial e ele carimba. Estou dentro.

Em Londres, eu havia passado mais de um mês em uma verdadeira batalha burocrática para conseguir vistos para esta viagem, e a Turquia foi o único país para o qual não obtive visto com antecedência. Os turcos me garantiram que o visto seria emitido sem problemas na fronteira. Se falhasse, comprometeria toda a viagem. Funcionou e agora eu posso comemorar.

Entro em uma fila para trocar dinheiro e de repente me torno "milionário". Troco 100 dólares por 16 milhões e 400 mil liras turcas, um maço de dinheiro. Depois de passar por mais barreiras do exército turco, seguimos para a cidade de Kesan. Ute e Harry não querem ir a Istambul. Preferem percorrer a Turquia pelo litoral. Mas eu quero ir a Istambul e decidimos nos separar. Marcamos um encontro no sul da Turquia dentro de quatro dias. Deixo minha mochila grande e demais equipamentos no caminhão e, com apenas uma bolsa pequena, embarco em Kesan no primeiro ônibus de linha que há para Istambul.

Na porta traseira do ônibus, o cobrador vai pendurado anunciando o roteiro e botando mais passageiros para dentro. Apesar do clima de lotação, o ônibus tem ar-condicionado e é confortável. O mesmo cobrador depois passa pelo corredor derramando gotas de um líquido perfumado nas mãos dos passageiros que serve para desinfetar e depois oferece biscoitos e água.

Ao lado da estrada, é impressionante a quantidade de prédios em construção. Mesmo no meio da tarde de um dia de semana, todos parecem parados, não há ninguém trabalhando. Passamos por algumas praias na costa do Mar de Mármara. Sentadas na areia estão mulheres de maiô e outras completamente cobertas ao lado dos maridos e filhos. Dentro do ônibus, começo a observar o tipo físico das pessoas e perceber o óbvio: nem todos os turcos têm cabelos escuros e bigodão como parecem ter todos os imigrantes que vão para a Alemanha. Muitos não usam bigodes e alguns são até loiros. A 40 quilômetros de Istambul, já podemos ver os edifícios da cidade. Chegamos à Uluslararasi Istanbul Otogari, a nova estação internacional de ônibus, que é imensa. Pergunto ao cobrador como chegar ao metrô e ele me leva até a entrada da estação. Quando agradeço, ele coloca a mão no coração e faz uma reverência. Parece que é verdade mesmo o papo sobre a cordialidade dos turcos.

Pego o metrô até a estação de Aksaray, já no centrão da cidade, e, de lá, um metrô que segue pela rua como se fosse um bonde até a área de Sultanahmet, onde tinham me indicado um hotel. Encontro o Hotel Anadolu facilmente. É um daqueles pontos de encontro de mochileiros. Casa velha bastante precária mas com um delicioso clima de estrada no ar. Na entrada, uma agradável varanda com um restaurante onde garotas espanholas e japonesas conversam sentadas. Tomo um banho e saio para reconhecer a área e ligar para um amigo.

Sinan Gokcen é uma dessas figuras que a gente nunca sabe onde está. Vive mudando de emprego, percorrendo as zonas de guerra do mundo e escrevendo para a imprensa turca. Esteve recentemente em Sarajevo, Cabul e Argel. Eu ligo somente por desencargo de consciência, tenho quase certeza de que ele não se encontra em Istambul. Mas, para minha surpresa, ele mesmo atende ao telefone em casa, numa tarde de quarta-feira.

— Onde é que você está? Vamos nos encontrar mais tarde — diz sem maiores rodeios.

Marcamos para nos encontrar às 7 horas em Taksim. Saio andando pelas ruas e pensando como é estimulante, depois de uma semana de estradas, estar de volta a uma grande metrópole. Encontro Sinan em Taksim, a área mais ocidentalizada de Istambul, entre turistas e turcos elegantes que passam apressados em frente ao elegante Hotel Marmara. Vamos até o Kaktus, um pequeno bar estilizado onde jovens intelectuais de esquerda tomam seus cappuccinos, ouvem jazz e discutem política. Sinan me conta que está trabalhando em um jornal chamado *Radikal*. Antes que eu termine de dizer que finalmente ele havia encontrado um jornal que combinava com...

— De radical só tem o nome – me diz ele com a ironia de sempre.

Mas aquela seria uma noite de pouco papo, porque haveria um show de jazz mais tarde para o qual Sinan tinha comprado ingressos. Preferi voltar andando para Sultanahmet, admirando a confusão urbana de Istambul.

Às 5h30, eu acordo com Alá. O muezim, religioso islâmico responsável pelas orações diárias, sobe ao minarete da mesquita e canta pelo sistema de alto-falantes com todos os semitons da escala musical do Oriente:

"*Allah akbar...*"

Os cânticos religiosos vindos da Mesquita Azul são acompanhados por cânticos semelhantes vindos de mesquitas menores no centro de Istambul. São orações dramáticas e belas. Todos que se hospedam naquela área acordam com essa sinfonia religiosa e épica. É a mais sensacional introdução ao mundo muçulmano. Esses cânticos duram cerca de dez minutos e ocorrem cinco vezes durante o dia: ao amanhecer, ao meio-dia, no meio da tarde, durante o pôr-do-sol e antes do final da noite. Os fiéis se dirigem às mesquitas ou rezam no lugar onde estão, prostrando-se no chão.

Tomo o café da manhã na varanda do Hotel Anadolu e saio devagar para "entender" a cidade. Percorro a área do Palácio de Topkapi, depois vou à Mesquita do Sultão Ahmet, mais conhecida como Mesquita Azul. Construída entre 1609 e 1619, é um belo templo, sobretudo no interior, com o efeito proporcionado pelos vitrais coloridos.

Nessa área turística há muitos vendedores de tapetes que abordam os visitantes com excessiva cordialidade e simpatia. Usam subterfúgios como enaltecer o país de origem do estrangeiro para atrair a sua atenção e depois passam a oferecer os produtos. Brasileiro no exterior não escapa de comentários sobre futebol. No início, é agradável ouvir elogios ao nosso ataque; rememorar grandes nomes como Pelé, Sócrates e Falcão; escutar a pronúncia engraçada com que decantam seleções inteiras do passado. Em Istambul, o recurso é usado à exaustão pelos vendedores de tapete.

Quando começam a conversa mole sobre futebol, eu já percebo que a conclusão seria sempre a mesma: "O futebol brasileiro é mesmo maravilhoso, mas você não gostaria de vir tomar um chá e dar uma olhada na minha loja de tapetes?"

Nesse ponto começava a batalha para se desvencilhar do sujeito, o que não levava menos de cinco minutos. É só multiplicar isso por dezenas de vendedores de tapete e o dia estará perdido.

Comecei a brincar com a situação. Em vez de dizer que era brasileiro e aturar toda a ladainha futebolística, passei a improvisar nacionalidades.

— Where are you from? — perguntava o vendedor.

— Argentina — tentei.

— Ah, Diego Armando Maradona! — rebate ele de pronto e desanda a elogiar o futebol argentino.

Na vez seguinte eu respondo que sou francês.

— Michel Platini! — responde o outro vendedor, e lá vêm elogios à França.

Depois, tento dizer que era húngaro. Afinal, os húngaros não viajam muito e os turcos nem devem saber como é a aparência física deles.

— Puskas! — rebate de lá o turco. E lá vem elogios à seleção húngara de 1954.

Parece não ter solução. Os caras são profissionais da lábia. Mas deve haver algum país sem tradição de futebol que não desperta reação entre eles. Teria também de ser um país do qual minha aparência física não destoasse muito. Acho que lembrei.

— Where are you from? — perguntou outro vendedor.

— Venezuela — digo secamente.

Silêncio. Eles não conhecem nada da Venezuela. E não tem jogador famoso nesse país. Já sei o que dizer para me livrar desse papo furado de futebol e seguir explorando Istambul.

O dia realmente engrena quando chego ao Grande Bazar, também conhecido como Mercado Coberto, com seu clima de mil e uma noites. Mulheres completamente cobertas de preto circulam entre os corredores pelas centenas de lojinhas que vendem de tudo. Rapazes passam apressados com bandejas cheias de copinhos de chá para entregá-los aos comerciantes nas lojas que, por sua vez, oferecem o chá aos clientes em potencial. O bazar parece condensar muitos dos mitos sobre o Oriente que habitam o imaginário dos ocidentais. É um lugar onde eu posso dizer, pela primeira vez, que o esforço da viagem está sendo muito bem recompensado. Uma coisa curiosa no Grande Bazar é a mistura de tradições orientais com cultura pop e tecnologia. Um dos muitos tapetes à venda, por exemplo, tem uma vistosa estampa de Elvis Presley quando jovem. Mais adiante, mulheres completamente cobertas de preto testam câmeras de vídeo na lojas de eletrodomésticos e tomam sorvete.

Sigo por uns becos estreitos à procura do Mercado Egípcio, também conhecido como Mercado dos Temperos. Encontro nessa área o Oriente numa de suas versões mais coloridas. Homens velhos transportando cargas enormes nas costas muito curvadas. Feira de verduras, frutas, temperos, móveis. Muita sujeira, prédios decadentes e gente estranha nos becos. Uma festa para os olhos.

O visual de docinhos e temperos expostos no Mercado Egípcio é também sensacional. Visito a Yeni Camii, a Nova Mesquita que aparece no filme *O Expresso da Meia-noite*, e vejo uma imagem comovente: uma garota japonesa com os sapatos na mão e cobrindo o cabelo com um lenço, um respeito que poucas ocidentais têm pela cultura islâmica.

Uma área sem grandes atrativos históricos mas fundamental para se entender a vitalidade de Istambul é Laleli, o centro comercial de roupas, sapatos e miudezas. É uma imensa área comercial que lembra o centrão de São Paulo, só que bem mais movimentada e caótica. Hoje muitos dos clientes são russos e eslavos em geral, os sacoleiros dos países que eram socialistas que agora vêm a Istambul comprar em grande quantidade.

No fim da noite, me encontro com Sinan no Kaktus. Aqui se podem ver meninas ocidentalizadas e caras de cabelo grande e barbicha, como em qualquer lugar da Europa. Uma grande diferença para as ruas que eu percorri durante o dia, onde quase só se encontram homens. Em Istambul, pelo menos metade das poucas mulheres que passam na rua usam um lenço cobrindo o cabelo e roupões folgados escondendo os contornos do corpo.

Deixamos a noite ainda animada no Kaktus e caminhamos em direção a um *dolmus*, a lotação institucionalizada na Turquia. O *dolmus* supre a precariedade do transporte urbano oficial. Só que Sinan mora em Kadiköy, do outro lado do Estreito de Bósforo, no lado da cidade que já fica na Ásia. E os *dolmus* que vão para Kadiköy são antigos Chevrolets amarelos Bel Air do final dos anos 50. Nós vamos no banco da frente junto ao motorista, curtindo a paisagem e o Bel Air.

Há três anos, todos os *dolmus* da cidade eram assim. Agora estão chegando os utilitários coreanos, conta Sinan. É o mundo ficando mais padronizado e chato.

Passamos pela enorme ponte Bogaziçi, que liga o lado europeu de Istambul ao lado asiático, observando a imensidão da cidade vista lá de cima da ponte com as luzes acesas no final da noite. Sinan olha pela janela com um sorriso e diz:

— Toda vez que estou no exterior, essa imagem do Estreito de Bósforo me chama de volta a Istambul. E eu acabo voltando.

Num final de noite como esse, vendo a Europa de um lado e a Ásia do outro, dá para entender o encanto de Istambul, a antiga Bizâncio e Constantinopla, uma cidade que foi capital de tantos impérios e que ainda hoje é um centro cosmopolita de ligação entre a Europa e o Oriente.

Em Kadiköy, andamos dez minutos a pé até chegar ao apartamento de Sinan, num prédio funcional de classe média. Grande, confortável e meio desorganizado, o apartamento tem uma sala vazia com um televisor no canto e pilhas de livros espalhadas pelas mesas. Passa a imagem que Sinan gosta de cultuar: a do intelectual de esquerda, boêmio e aventureiro.

Enquanto abre um uísque, ele diz para eu ficar à vontade.

— Aqui é como a ONU, eu sempre tenho convidados amigos do mundo inteiro.

Eu acrescento que, como também acontece na ONU, aqui também nem todo mundo paga a conta. Conversamos até as 4 horas, relembrando o tempo de faculdade nos Estados Unidos e, em se tratando de Sinan, terminamos falando de guerras e socialismo.

Acabei acordando às 10h30 no dia seguinte, saindo totalmente da disciplina que havia me imposto desde o começo da viagem. Fomos a um parque tomar o ótimo chá turco em copinhos, comer salgadinhos e olhar mais uma vez o Estreito de Bósforo. Fui para o centro utilizando o barco que cruza o estreito em direção à Europa.

Novamente em Sultanahmet, tento comprar uma passagem de ônibus para Antalya e passo o dia vagueando sem muito objetivo. É sexta-feira, e as ruas estão cheias de policiais que vão tentar conter os protestos dos fundamentalistas islâmicos contra as reformas no sistema de ensino da Turquia. Esses protestos ocorrem especialmente na sexta-feira, dia sagrado para os muçulmanos, e terminam sempre em violência. À noite, vemos na TV imagens do conflito no qual quem mais sofre é a imprensa, principal alvo da ira dos fundamentalistas.

Na Turquia, a proclamação da república em 1923 foi acompanhada pela completa secularização do Estado. Mustafá Kemal, depois conhecido como Atatürk (que significa "o pai dos turcos"), fundou a Turquia moderna de forma autoritária. Atatürk eliminou em questão de semanas a ligação do Estado com a religião, obrigou as mulheres a abandonarem o lenço e o véu, anulou feriados religiosos e determinou que a língua turca passasse a ser escrita com o alfabeto latino e não mais com o alfabeto árabe. Tudo com o objetivo de "modernizar" o país e colocá-lo mais próximo da Europa.

As mudanças criaram desde então um grande ressentimento na população muçulmana. Esse ressentimento atualmente se manifesta no ressurgimento do fundamentalismo, num maior número de mulheres usando o lenço e o véu, no crescimento do Partido do Bem-Estar (de tendência islâmica) e nos protestos contra as reformas no sistema de ensino do país. Além dos problemas com os muçulmanos, a criação da república turca não levou em conta o problema das minorias étnicas, exacerbando o nacionalismo da população curda, o que favoreceu a explosão da luta armada no leste do país.

Para hoje à noite, temos um jantar marcado com umas amigas de Sinan. Primeiro pego um terrível engarrafamento em Karaköy, no centro da cidade. Quando consigo encontrar Sinan, seguimos em um lotação rumo ao fim do mundo, isto é, rumo ao norte da cidade, que se espalha infinitamente ao longo do Estreito de Bósforo. Esse jantar teria de ser muito bom para compensar o nosso esforço em chegar lá. E acabou não sendo.

A conversa aconteceu numa mistura maluca de inglês, francês e turco, durante a qual se traduzia de uma língua para outra apenas o que se achava ser do interesse dos outros. O assunto era política turca, resistência dos fundamentalistas às reformas, o conflito no Curdistão, temas que eu já notara serem recorrentes em qualquer mesa de turcos de classe média. Uma das garotas trabalhava para a ONU no Burundi e estava em Istambul apenas de férias. Mas, ao contrário do esperado, o papo não decolou e eu passei a noite me divertindo mesmo somente com a mistura da comida que foi servida no restaurante. As entradas variadas, feitas com fruta-pão, que os turcos chamam de *mezé*, o peixe, a cerveja, um gole de *raki* (uma bebida local muito forte) e, no fim, champanhe com melancia!

3 — O pudim hippie

No meu último dia em Istambul, cruzamos de barco mais uma vez o Estreito de Bósforo para o lado europeu e seguimos de táxi até um subúrbio onde fica o edifício *hi-tech* dos jornais *Milliet* e *Sabah*. O *Radikal*, onde Sinan trabalha, fica também no local e é do mesmo grupo, de propriedade de um dos barões da imprensa turca.

— O sujeito é um esnobe. Trouxe todo o material para este edifício da Itália — diz com desprezo, enquanto seguimos por salões e corredores impecáveis e elevadores moderníssimos.

Sou apresentado ao pessoal da editoria de Internacional. Um deles, ao escutar os meus planos de viagem, balança a cabeça:

— Boa sorte — diz num misto de ironia e resignação.

Mas hoje eu preciso de sorte é para conseguir ver tudo o que quero. A Igreja da Sabedoria Divina — a Aya Sofya em turco ou Sancta Sophia em latim — é a minha primeira parada. Construída em 532, a igreja foi durante mil anos a maior de todo o mundo cristão, até ser transformada em mesquita quando os turcos tomaram Constantinopla. Desde os anos 30 é um museu. Dentro da igreja imensa, dá para imaginar as missas solenes realizadas aqui na Idade Média.

Vou ao Palácio de Topkapi, centro do poder otomano, onde, até o século passado, o sultão podia manter no harém cerca de 400 concubinas. Vou também à Cisterna Romana construída por Constantino para abastecer a capital bizantina. Agora restaurada, a cisterna é um dos mais vivos exemplos da antiga Constantinopla.

Janto mais uma vez na Pudding Shop. Depois, procuro pelo dono do restaurante, Idris Çolpan, para obter algumas informações sobre o mais importante local de Istambul quando se trata da rota para o Oriente. A Pudding Shop é um restaurante localizado na Divan Yolu, no centro do bairro histórico de Sultanahmet. Nas décadas de 60 e 70, o local era o centro da comunidade hippie que utilizava Istambul como base para as viagens por terra à Índia. Idris já se aposentou e hoje quem toma conta do restaurante é Adem Çolpan, seu filho de 35 anos. Adem se levanta do caixa e vai me mostrar um quadro de avisos na entrada que no passado era usado pelos hippies para a troca de informações úteis sobre a rota do Oriente.

— Tivemos que mudar o restaurante — explica Adem Çolpan, olhando para a nova clientela de turistas que, na maioria, não conhece a história do lugar. — Os tempos mudaram e nós tivemos de nos adaptar.

A Pudding Shop foi fundada em 1957 por Idris Çolpan como um pequeno restaurante que servia, como especialidade da casa, pudim de arroz e de baunilha, ainda hoje no cardápio. Em 1966, chegaram os primeiros cabeludos a Istambul, representantes da juventude ocidental que começava a rejeitar os valores tradicionais de família e carreira profissional. Estimulados pela tolerância do proprietário, os hippies fizeram do restaurante seu ponto de encontro em Istambul. Era o local para trocar dicas sobre a estrada, anunciar e vender as velhas Kombis que utilizavam para ir e voltar à Índia.

O clima era descontraído. Havia sempre música, dança e fumo. Idris era considerado "o pai dos hippies", tolerante quase sempre, mas às vezes repressor em relação ao uso de drogas. Na época, a moçada dormia na área do antigo Hipódromo Romano, que fica nas redondezas, ou no teto dos pequenos hotéis baratos que existiam na área. Não havia o boom turístico de hoje, nem dinheiro para os bons hotéis.

— Os turcos viam os hippies apenas como uma novidade divertida, uma excentricidade ocidental — relembra Adem, que sempre freqüentava o restaurante do pai.

Nos anos 70, a Pudding Shop foi o lugar onde houve o encontro do norte-americano William Hayes com um traficante de drogas. Hayes acabou sendo preso e passou anos nas prisões turcas. Sua história se transformou no filme O expresso da meia-noite, de Alan Parker.

Mas em 1979, a trilha hippie acabou por motivos políticos. A União Soviética invadiu o Afeganistão e os fundamentalistas islâmicos tomaram o poder no Irã. No ano seguinte, começou a guerra entre o Irã e o Iraque. Os três acontecimentos impediram que as estradas esburacadas que levam à Índia continuassem abertas a aventureiros de fora. O fervor antiocidental no Irã pode ter diminuindo, a guerra com o Iraque acabou, mas o conflito no Afeganistão continua. Para complicar as coisas, a guerra civil na ex-Iugoslávia criou mais um empecilho à antiga trilha hippie.

Hoje a Turquia recebe cerca de 20 milhões de visitantes por ano, mas entre eles não estão mais os hippies. A Pudding Shop atende a um público que não faz idéia do que aconteceu ali no passado. Para o observador mais atento, no entanto, as paredes estão cheias de molduras com artigos de jornais contando um pouco da história do local. Sultanahmet não é mais um centro hippie, mas de certa forma ainda atrai uma moçada meio alternativa. E acaba sendo também uma atração histórica para os que se aventuram pelo Oriente ainda hoje.

A Turquia tem uma das mais competitivas frotas de ônibus do mundo, com várias empresas disputando o viajante. Eu decidi partir para Antalya pela Ulusoy, empresa que tem até uma estação própria em Istambul. A despedida foi com música. Havia acontecido um jogo de futebol e parte da torcida comemorava na estação de ônibus com um tambor e uma flauta turca, enquanto garotas executavam uma sensual dança em círculos. Mulheres cobertas observavam de longe. O meu ônibus luxuoso de dois andares entrou na noite escura e seguimos em direção a Antalya.

Acordo no outro dia nas colinas semidesérticas da Anatólia Central. A estrada passa por campos amarelados pela luz do sol que começa a despontar. No começo da manhã chegamos a Antalya, na costa do Mediterrâneo, em uma rodoviária que é "a mais moderna da Europa", segundo afirmou um turco vaidoso, sentado ao meu lado. A polícia vigia todas as entradas do terminal, provavelmente para protegê-lo de atentados terroristas. Sigo em um ônibus pequeno para o centro de Antalya. Ainda é cedo para o encontro com Harry e Ute, e tenho tempo de percorrer a pé o bairro antigo da cidade, me deparando com ruínas da antigüidade clássica a todo momento.

Vou até o Centro de Informações Turísticas, ponto para o nosso encontro. Tomo um chá com pão numa padaria. Ali ao lado, sento num banco de praça e logo vejo o meu já querido caminhão Mercedes se aproximando. Corro em direção a ele. Estou de volta à minha base ambulante.

Sem tempo a perder, seguimos pela costa passando em Aspendos, um enorme teatro romano restaurado, e depois rumo ao leste, pela costa animada com milhares de pessoas aproveitando o domingo de verão. A estrada até Alanya é marcada por uma enorme quantidade de grandes balneários. Mas depois de Alanya, a estrada se torna lenta, com montanhas altas e curvas muito fechadas. Chegamos a Anamur no final da tarde. Depois de tentar algumas hospedarias na beira da estrada, me decido por um motel na localidade de Bozyazi. Tenho de negociar o preço usando o meu precário conhecimento de alemão, única língua falada pelo gerente. Foi uma noite daquelas longas para lavar roupas e dormir tranqüilamente. Mas antes, um jantar solitário olhando o Mediterrâneo e comendo galinha com arroz. Do outro lado do mar, a ilha de Chipre, quase à vista.

No dia seguinte, novo café da manhã à beira do Mediterrâneo, conversando com o garçom sobre futebol. Partimos só às 11 horas, passando novamente por uma área montanhosa. A população desta região já mostra sinais de diferença. As mulheres do campo não usam os roupões e lenços pesados de Istambul. Aqui os lenços são mais delicados, quase ciganos, e as saias usadas são longas e muito coloridas. Paramos para almoço em Kirkazelezi, onde há um castelo construído em uma ilhota no mar. Na antigüidade, havia uma ponte ligando o castelo ao continente. Passamos pela cidade de Içel, que surge como uma miragem, com 500 mil habitantes.

Na costa sul da Turquia é impressionante o número de casas e prédios com painéis captadores de energia solar no teto. Venho observando esses painéis sobre as casas desde a Grécia. Mas aqui, na costa do Mediterrâneo, praticamente todas as casas usam a energia solar para aquecer água e para a calefação no inverno.

Depois de Içel, pegamos uma auto-estrada veloz e deserta para Adana. Parecia que a gente entrava num novo e imenso território de grandes espaços livres, boas estradas, ar puro e um belo pôr-do-sol no longo fim de tarde de verão. Em toda essa viagem eu vinha tentando ouvir apenas música dos países onde passávamos. Abrira uma exceção apenas para *Love fool* dos Cardigans, que tocou numa emissora no meio do caminho. Mas agora, com todo esse espaço à nossa volta, eu conto com o bom gosto dos meus companheiros de viagem, que atacam lá na frente com um velho tape do Cream no toca-fitas:

"I've been waiting so long, to be where I'm going", berra Jack Bruce nos alto-falantes, resumindo nossa alegria em *Sunshine of Your Love*.

Nos arredores de Adana, o maior boom habitacional do planeta. São centenas de edifícios sendo construídos, muitos deles ainda desabitados, geralmente com sete ou oito andares, um fenômeno de toda a Turquia mas em nenhum lugar tão intenso como aqui. Adana tem um milhão e 200 mil habitantes e é um desses lugares em que a gente pára e pensa sobre o tamanho do mundo e de como sabemos pouco sobre ele.

Essa cidade é um bom exemplo do crescimento exagerado das cidades turcas nas últimas décadas. Além de uma alta taxa de crescimento populacional, na Turquia existe também o fenômeno da migração interna provocada por fatores econômicos. Além disso, há ainda as populações que foram forçadas a deixar suas vilas, devido à insurreição armada no Curdistão, e também se dirigem às grandes cidades. Com tanta gente chegando, não é à toa que as cidades crescem em ritmo tão acelerado.

Depois de Adana, a paisagem fica mais plana e nos leva até um girador, onde há terríveis indústrias poluindo o ar. As placas que indicam a cidade mais próxima foram pintadas por cima, de forma a não demonstrar o nome da localidade. Talvez indicassem a cidade de Yesilkent. Dá a impressão que a cidade quer afastar todos os visitantes, com vergonha do ar poluído. Ou será que o local foi esvaziado à força pelos militares no combate aos guerrilheiros curdos? Seja como for, há aqui um gosto de fim de mundo no ar.

A partir desse ponto seguimos para o sul, sempre beirando o Mediterrâneo. Agora nos aproximamos da fronteira com a Síria e a área está cheia de quartéis com slogans patrióticos geralmente tirados de discursos do próprio Atatürk. Queremos passar a noite em Iskenderun. Uma bela lua cheia aparece no Mediterrâneo, surgindo lá para o lado do Egito.

Fico num hotel em Iskenderun, cuja janela dá para a costa, uma bela paisagem de praia. Saio para dar uma volta e jantar em um restaurante elegante e barato como só ainda existe na Turquia: *kebab* de galinha, pão local, fritas e um refrigerante chamado Gazoz. Tudo por apenas US$ 4.20. À frente, uma imensa estátua de Atatürk na praça principal da cidade, em estilo realismo socialista. Depois do jantar, me junto no calçadão da orla às famílias que passeiam saboreando a brisa da noite. Um grupo dança ao som de uma banda que toca ao vivo, em um bar, sucessos do pop turco. Garotas rebolam provocativas e até uma mulher coberta com um lenço resolve entrar na dança.

4 — Às portas de Damasco

APROVEITO O COMEÇO DA MANHÃ em Iskenderun para passear pela cidade e ir ao correio, onde acabo pagando 725 mil liras turcas por duas cartas para o Brasil. Quando faço as contas, descubro que isso representa US$ 4.45 e chego à conclusão de que fui enganado. As duas cartas deveriam ter custado apenas cerca de 350 mil liras. O incidente me deixa aborrecido por alguns minutos, mas tento esquecê-lo porque hoje temos pela frente a primeira fronteira difícil dessa viagem, uma das que vão exigir toda a concentração e disposição de nossa parte.

Deixando Iskenderun para trás, pegamos uma estrada montanhosa e estreita ao lado da qual vimos camponeses com roupas cada vez mais diferentes do padrão ocidental. Homens com calças balofas que se tornam estreitas no final da perna, chapeuzinhos sem abas no estilo muçulmano e barbas brancas. Essa região pertenceu à Síria até 1938 e ainda consta nos mapas sírios como parte do país. Passamos por Antakya, a antiga cidade de Antióquia por onde passou o apóstolo Paulo a caminho da Europa no começo da era cristã. Antióquia era a terceira maior cidade do Império Romano na época de Paulo, mas foi destruída por um terremoto no ano de 536. Não ficamos muito tempo.

Em poucos minutos chegamos a Yayladagi, a última cidade turca antes da fronteira. Cruzamos com uma menina ocidental que vinha em sentido contrário numa carroça puxada por um burro com a ajuda de um velho, com cara de quem havia acabado de cruzar a fronteira, vinda de um outro mundo.

Harry e Ute haviam decidido entrar na Síria através de um posto de fronteira pequeno e de pouco movimento, segundo as informações que tínhamos. Do lado turco da fronteira, o tradicional show de nacionalismo: bandeiras, instalações militares, slogans patrióticos. Passamos por duas barreiras policiais onde inspecionam os nossos documentos. Eu me volto e observo que no portão de entrada na Turquia está escrita a expressão "seja bem-vindo" em três línguas:
"Well Come"
"Will Commen"
"Soyerle Bienvenue"
Inglês, alemão e francês. Não acertaram a grafia em nenhuma delas. Certamente quem escreveu não sabe onde dividir as palavras desses idiomas.

No posto de controle sírio, uma mistura de burocracia, incompetência e má vontade. Não há quase ninguém transitando por essa estrada. Encontramos somente uma família de libaneses, um sírio usando uma *galabía*, o roupão árabe, e praticamente mais ninguém. Apesar disso, o atendimento não anda.

Em redor, o clima é tranqüilo e silencioso. Os guardas nos atendem de uniformes verdes, camisa por fora da calça e sandálias. Fico meia hora em pé esperando o carimbo no meu passaporte. Para passar o tempo, leio e releio as palavras do presidente Hafez Assad, espalhadas ao lado de suas fotos em todas as paredes. Um dos dizeres é ameaçador:

"Nós não advogamos a guerra e a destruição, mas nos defendemos dos que advogam a guerra e a destruição."

Fronteiras são sempre momentos de tensão. Talvez seja devido às lembranças de minha primeira viagem à Europa quando, cabeludo e com uma mochila de lona nas costas, fui interrogado e revistado ao entrar em vários países. Histórias de dificuldades em fronteiras não faltam no mundo dos viajantes. É difícil relaxar em tais situações.

Mas aqui, eu me convenço, a coisa promete ser muito demorada e eu decido relaxar mesmo. Deixo Ute cuidando dos passaportes e da burocracia para entrar com o veículo no país. Volto ao caminhão, onde encontro Harry comendo um sanduíche e lendo tranqüilamente um livro sobre o Irã. Abro um refrigerante e ficamos batendo papo. Nada a fazer a não ser ouvir o silêncio do local e os passarinhos. Ao final de três horas, Ute volta com os passaportes.

No posto da alfândega, um policial dá uma olhada rápida dentro do caminhão e nos libera, sem antes deixar de pedir um *backsheesh*, a gorjeta ou propina, tão comum no mundo árabe. Não damos e seguimos em frente. Cem metros depois, um outro guarda acena com uma metralhadora, indicando que devemos parar. Pede uma carona para um amigo.

— A companhia não permite que a gente dê caronas — desculpa-se Harry.

Depois disso, é comemorar. Estamos na Síria, Oriente Médio, um dos países mais isolados do mundo, aquele tipo de lugar que desestimula a visita de estrangeiros com a dificuldade para conceder o visto e com a burocracia.

Passamos por uma área montanhosa de estradinhas curvas na região fértil que fica próxima ao litoral. Logo depois, já numa estrada maior, estávamos chegando a Latakya, uma metrópole portuária no Mar Mediterrâneo onde nos deparamos com o caos do trânsito na Síria. Caminhões trafegando velozmente, soltando fumaça e fazendo barulho. Todos os motoristas usam as buzinas de seus carros sem nenhum constrangimento. As cidades parecem recém-construídas. As casas são erguidas como se fossem ter vários andares. Só que depois do térreo e do primeiro andar, a construção é abandonada e os ferros da estrutura ficam expostos no teto. Tudo parece cinza e caótico.

Paramos em Tarso, a cidade onde nasceu o apóstolo Paulo. Estacionamos e decidimos dar uma volta a pé pelo bairro antigo. As crianças olham pra gente e todas fazem questão de nos cumprimentar dizendo "hello". Os homens nos olham sérios, quase todos de *galabía*, o roupão confortável que é muito usado no fim de tarde.

Havíamos lido que no mundo árabe a chave para abrir todas as portas são os cumprimentos formais. Sobretudo o *salaam aleikum* que significa literalmente "a paz de Deus esteja convosco". A este cumprimento os árabes geralmente respondem: *as wa aleikum as-salaam*, isto é, "e sobre você esteja a paz". A cidade antiga de Tarso era um bom local para começar a praticar. Aos homens que nos olhavam desconfiados nós cumprimentávamos com o *salaam aleikum*. Os espíritos se desarmavam e eles retribuíam com sorrisos. As mulheres nas portas das casas observavam de forma tímida as crianças que nos abordavam com simpatia.

Quando tentamos sair de Tarso já estava anoitecendo e nos perdemos. Paramos para perguntar como pegar a estrada para o sul, mas ninguém falava línguas européias e o nosso rudimentar conhecimento de árabe — idioma que vínhamos fingindo estudar nos últimos dias — provou ser totalmente inadequado. Mal passávamos do *salaam aleikum*. Quando finalmente pegamos a estrada, eu me deitei lá no banco de trás, exausto com o barulho de buzinas, a tensão acumulada do dia e com um princípio de resfriado.

Nosso objetivo era chegar a Crac de Chevaliers, um castelo da época das Cruzadas onde dormiríamos num hotel. Crac fica em cima de uma montanha com vista para todo o norte da Síria e, fazendo tempo bom, até para o Líbano. Para chegar lá em cima, pegamos uma estrada que dava voltas ao redor da montanha. Ao chegar, fomos recebidos com simpatia pelo dono do restaurante La Table Ronde, que aluga quartos na casa anexa. Ute e Harry conheciam o sujeito de outras viagens. Tomei um banho e de repente o mal-estar passou. Pela primeira vez nesta viagem, tínhamos uma temperatura amena para dormir. Em cima do monte, o clima era ventilado e a noite estrelada. Jantamos no restaurante galinha, fritas, arroz e experimentei pela primeira vez o *houmus*, um purê árabe feito com grão-de-bico e condimentos como alho e limão.

No outro dia de manhã visitei o castelo do tempo dos cruzados. Construído no século XII, o Crac de Chevaliers, ou Castelo dos Cavaleiros, chegava a abrigar 4 mil europeus na luta que tomou conta no Oriente Médio na época das Cruzadas. O castelo ainda está muito bem conservado e dá uma idéia precisa sobre a época em que foi construído.

Partimos para Damasco às 11 horas. Eu via com alegria a possibilidade de parar alguns dias em Damasco para recarregar as baterias, depois desse primeiro trecho da viagem.

A partir de Crac de Chevaliers, começamos a perceber cada vez mais a presença de pôsteres de Hafez Assad. Agora dava para perceber também que fotos de seus dois filhos estavam em todos os lugares. Nos restaurantes, na frente das casas, nos pára-brisas dos carros, em placas nas estradas. Apenas nos 220 quilômetros que separam Crac de Chevaliers de Damasco, eu contei seis estátuas enormes de Assad, algumas revestidas em ouro, em poses sempre benevolentes.

Em nosso segundo dia na Síria, a paisagem continuava relativamente verde até que, nas imediações da cidade de Al Breij, o caminho para Damasco, de repente, ficou deserto: o ar se tornou mais leve e a paisagem ficou muito bonita, com pouca vegetação e montanhas ao fundo.

No começo da tarde chegamos a Damasco. Foram 14 dias de viagem desde Londres, percorrendo 5.642 quilômetros. Seguimos de caminhão até o centrão da cidade, a Praça Al-Merjeh, ou Praça dos Mártires, uma área de hotéis baratos, comércio animado e trânsito intenso. Fomos imediatamente engolidos pelos caos urbano. Ute grita de animação, enquanto tentamos um espaço para estacionar:

— Oba! Estou de volta à maluquice de Damasco!

Meus dois companheiros tentam convencer os policiais de trânsito a permitir o estacionamento do caminhão ali mesmo na praça principal. Com muita gesticulação e sorrisos, eles conseguem. Mas aí vem um novo guarda proibindo. É preciso reiniciar toda a negociação. A gentileza da população é grande. Um sujeito chega a parar o seu carrinho amarelo em frente do caminhão para nos ajudar, traduzindo para o guarda o que queríamos. Acabamos deixando o caminhão lá mesmo.

Ali na praça arranjei um quarto no Hotel Ramsis, aquele tipo de hotel de centro de cidade da América do Sul, com um atendente de brilhantina no cabelo lá na portaria e um rapaz uniformizado para carregar bagagens. Enfim, um hotel decadente que insiste em manter um traço de suas glórias passadas.

Saio imediatamente para ver a cidade. Damasco tem um sol de rachar neste começo de tarde de fim de verão. É como se fosse sol de praia, só que mais quente ainda. E sem brisa. Só foi possível estabelecer uma cidade nesta região devido ao oásis de Ghouta e ao pequeno Rio Barada, que hoje mais parece um canal. O barulho das buzinas e o calor intenso me dão, a princípio, uma impressão pessimista da cidade. Parece ser um lugar decididamente onde não poderia haver diversão, apenas exploração antropológica.

Mas o que mais me chama a atenção é o carnaval de tipos humanos vestidos das mais variadas formas. É como se eu estivesse num desfile de moda histórico, uma espécie de "quem é quem" no Oriente Médio. Sinto uma compulsão irresistível de catalogar mentalmente aqueles tipos curiosos e dar-lhes nomes e rótulos.

Os homens se dividem em dois grandes grupos: o primeiro adota roupas ocidentais de terrível mau gosto. A grande maioria usa camisas sociais de seda com estampados vistosos e, muitas vezes, acompanhadas por uma calça comprida superbaggy. Entre os que preferem roupas tradicionais, há uma série de combinações envolvendo a *galabía* (o roupão árabe folgado e comprido) e a *kaffieh* (aquele pano na cabeça usado tradicionalmente pelos sauditas e pelos palestinos). Há dezenas de variações de modelos e cores, cada uma denotando o grau de inserção do sujeito no mundo ocidental, e no caso dos trajes típicos, a região do mundo árabe de onde ele se origina. Há também variações divertidas, como o sujeito de roupa ocidental que simplesmente enrola um pano em torno da cabeça e do pescoço e sai por aí.

Procuro um banco para trocar dinheiro, mas descubro que todo o sistema bancário sírio é estatizado. O Banco Comercial da Síria se divide em várias filiais, mas apenas algumas têm setor de câmbio e todas estão fechadas para a sesta neste meio de tarde. Troco dinheiro no paralelo em uma loja de roupas e sigo andando para o norte da cidade, sob o sol de deserto.

Numa área comercial, descubro pela primeira vez desde que saí da Grécia muitas mulheres na rua fazendo compras. Como os homens, elas também estão divididas em vários tipos pela forma de vestir: algumas se vestem como no Ocidente, de forma bastante conservadora; outras usam um lenço branco no cabelo; outras usam um lenço preto cobrindo a boca; e há até algumas adolescentes que usam jeans ocidentais.

Mas o que mais chama a atenção são as "iranianas" que circulam pela parte antiga de Damasco usando o xador. Muitas são idosas e vêm a Damasco em peregrinação à Mesquita Omíada, considerada um dos locais mais sagrados do mundo islâmico. Andam em bandos, todas de preto. O mais curioso é que o xador é apenas um pedaço de pano com o qual elas cobrem a cabeça e o corpo, este também já coberto por um roupão fechado que esconde qualquer contorno feminino. Como o xador não é vestido e sim usado como uma cobertura, as mulheres têm de prender a vestimenta no queixo com duas ou pelo menos uma mão. Com isso, passam a sensação de que estão agasalhadas, com frio. Isso em pleno calor do meio da tarde no deserto. É uma visão surreal.

Muito já se falou de choque cultural, mas ele é mesmo inevitável em certas regiões do mundo. Em um país onde os homens andam de mãos dadas, cumprimentam-se com beijinhos e as mulheres se cobrem desta forma com todo o calor, é inevitável a sensação de grotesco e o clima de volta no tempo para séculos passados. E é justamente isso que me mantém na rua em Damasco, apesar de todo o calor e cansaço do primeiro dia.

Decido ainda dar uma olhada no Souk al-Hammadiyyeh, o bazar tradicional da cidade, onde pelo menos não faz tanto calor. Ao contrário de Istambul, o bazar de Damasco não tem turistas e é muito mais original. Incríveis ruelas com lojinhas que vendem de tudo; vendedores ambulantes de água e xarope vestidos como na época do Império Otomano. É interessante a relação do povo sírio com a água. Por todo canto há torneiras para uso do público. O povo aproveita a água para beber ou lavar o rosto e combater o calor. Alguns comerciantes até jogam água na calçada para refrescar a área de suas lojas. É parte das regras de civilização do mundo árabe. Água no deserto é artigo de primeira necessidade e não pode ser negada.

Os dias seguintes em Damasco foram de muitas descobertas e de muito calor. As caminhadas pela cidade eram feitas de manhã. O calor me obrigava a uma sesta forçada na precariedade do Hotel Ramsis. No final da tarde eu voltava à carga e andava até o começo da noite.

Quando o calor era intenso até nessas horas, circulava apenas pela balbúrdia da Praça dos Mártires, observando os cafés lotados exclusivamente de homens jogando dominó, conversando e fumando os narguilés, que são mangueiras ligadas a uns botijões de onde os árabes sugam uma fumaça. A praça é uma boa mostra da vida social na cidade: no meio do barulho de buzinas, rapazes circulam de mãos dadas, às vezes rodando na mão um pequeno terço de contas, outro hábito árabe que tem raízes na religião. De carrões americanos descem árabes ricos, de *galabías* impecavelmente brancas, gente que vem dos países do Golfo fazer turismo em Damasco. Um dia, só por curiosidade, cheguei a procurar o Hotel Paquistão, que o guia *Lonely Planet* dizia ser um forte candidato ao título de pior hotel do mundo. Não encontrei. Talvez tenha fechado de vez.

Eu parava nos restaurantes para comer enormes *falafeis* com suco de laranja feito na hora. O *falafel* é um bolinho frito feito com pasta de grão-de-bico. O sanduíche de *falafel* vem acompanhado de verduras e picles e "enrolado" em um pão pita grande. Baratíssimo e gostoso. Quando me dava mais fome, entrava nos restaurantes onde comia galinha com *houmus* e todos aqueles acompanhamentos. No final, tudo ainda me saía barato. De quebra, ainda tinha papo com o garçom e um televisor ligado nos canais do Egito. Damasco era, a seu modo, uma grande festa.

5 — *Salaam Aleikum*, Hafez Assad

Apesar de ser a capital de uma república com inclinações socialistas, Damasco é uma cidade onde as religiões são parte essencial do cotidiano. Percebe-se isso a partir da Mesquita Omíada, que atrai, além de turistas, peregrinos de todo o mundo islâmico. Nesta manhã de quinta-feira, vários iranianos escutam, sentados em grupo no chão, o sermão de um mulá que, de capa preta, turbante e barba grisalha, explica os muitos recantos da mesquita para fiéis compenetrados e mulheres de xador.

A Omíada é na verdade um exemplo clássico da quase miscigenação religiosa que existe no Oriente Médio. No local onde hoje está a mesquita, houve no passado templos antigos e uma igreja cristã. Entre 705 e 715 foi construída a atual mesquita, que passou a conviver no mesmo local com a igreja. Posteriormente, a mesquita ocupou toda a área. Mas mesmo assim foi mantido dentro dela um altar dedicado a João Batista, considerado também pelos muçulmanos como um dos profetas. O próprio Jesus Cristo é homenageado em um dos três minaretes da mesquita. Cristo também é respeitado como profeta pelos seguidores de Maomé. E, segundo uma tradição de Damasco, seria no local desse minarete que Cristo voltaria à Terra.

Dentro da Mesquita Omíada, alguns homens dormem tranqüilamente pelos cantos, no conforto dos tapetes e protegidos do calor que faz lá fora.

— Em teoria é proibido — me explica meio encabulado Naïf, um sírio que nos servia de guia em uma das visitas ao bairro antigo. — Mas os responsáveis pela ordem aqui são meio preguiçosos.

Em frente à Omíada estão as ruínas do portão oeste do Templo de Júpiter, edificação dos tempos romanos. Mas a área é rica mesmo em construções islâmicas. Há mausoléus, madrassas (os seminários islâmicos) e outras mesquitas como a de Sayyida Ruqqaya, construída com dinheiro dos iranianos xiitas. Esta harmoniosa mesquita numa ruela da cidade velha é dedicada à neta de Ali, que se chamava Ruqqaya. Ali, genro do profeta Maomé, disputou o comando do islamismo nos primeiros tempos da religião, foi assassinado e acabou provocando indiretamente o surgimento da divisão da religião em xiitas e sunitas, um acontecimento importante para se entender a política no Oriente Médio ainda hoje. Por ter sido o primeiro grande nome da corrente xiita, Ali é cultuado no Irã de hoje e também considerado por todos os xiitas do mundo como um santo. Seu prestígio se espalha até pelos familiares, como é o caso da neta Ruqqaya.

Outro belo exemplo de arquitetura islâmica em Damasco é a mesquita de Takiyyeh as-Sulaymaniyyeh, projetada pelo famoso arquiteto turco Sinan, em 1554. A grande beleza está na alternação de pedras pretas e brancas usadas nas paredes que produz um efeito geométrico de muita elegância.

Dos tipos humanos que circulam pelas ruelas da antiga Damasco, os drusos estão entre os mais curiosos. Os drusos fazem parte de uma misteriosa facção do islamismo, presente em áreas da Síria e do Líbano. Os homens dessa seita usam uma espécie de turbante branco e barbas longas. Há um código de ética rigoroso que proíbe a revelação de detalhes sobre os seus rituais e sobre a essência da sua fé.

— Se alguém revelar os segredos dos drusos, será sem dúvida eliminado — diz Naïf, demonstrando repúdio e medo.

O próprio presidente Hafez Assad pertence a um grupo islâmico minoritário, os alauitas (que muitos consideram como uma subdivisão do xiismo), que representam 11% da população. A constituição síria prevê a separação entre Igreja e Estado. Mas, devido à pressão dos muçulmanos, foi incluída no texto constitucional a exigência de que o presidente do país seja um muçulmano.

Sexta-feira é o dia em que tudo fecha em Damasco, é o feriado semanal religioso. O caos urbano diário cede lugar a uns poucos estrangeiros que percorrem as ruas sem ter para onde ir. Eu passo num posto de informações turísticas, mas encontro o responsável cochilando solitariamente. Volto mais tarde e peço informações sobre umas igrejas cristãs. Apesar de demonstrar boa vontade, o funcionário nem entende o significado das palavras "church" ou "église".

Curioso porque, além do islamismo, a capital síria tem também uma longa história como centro do judaísmo e depois do cristianismo. Foi nas proximidades de Damasco que, conta a Bíblia, aconteceu o episódio que acabaria na conversão do apóstolo Paulo, no ano 34 da era cristã. Certo dia, Saulo de Tarso estava a caminho de Damasco, procedente de Jerusalém, com ordens para punir os cristãos na cidade. Foi derrubado de seu cavalo por uma força estranha e ouviu a pergunta:

"Saulo, por que me persegues?"

Ficou cego imediatamente. A Bíblia conta ainda que, três dias depois, Jesus apareceu a um seguidor, Ananias, e o instruiu a ir ao encontro de Saulo para curar a sua cegueira. Saulo, que estava hospedado na Via Recta, ou Rua Direita, no centro da Damasco antiga, converteu-se ao cristianismo, adotou a forma grega de seu nome — Paulo — e passou a divulgar o nome de Jesus por toda a Ásia Menor.

Na cidade antiga de Damasco ainda existe a Rua Direita e também a casa onde Ananias recebeu a visão de Jesus para ir ao encontro de Paulo. Existe também uma pequena igreja no Bab Kissan, onde, segundo conta a Bíblia, Paulo conseguiu escapar da perseguição dos judeus, após sua conversão.

Não longe dali, a área da cidade conhecida como Bab Touma, ou Portão de Tomás, está cheia de igrejas cristãs das mais variadas tendências. Estão representadas a Igreja Ortodoxa Grega, a Igreja Católica Grega, a Igreja Ortodoxa Armênia, a Igreja Católica Armênia, a Igreja Ortodoxa Síria e a Igreja Católica Síria , além de igrejas católicas romanas. A Igreja Síria (tanto a católica como a ortodoxa) ainda celebra a liturgia usando o aramaico, língua falada em toda a região na época de Cristo. Hoje o aramaico ainda é falado na Síria nas cidades de Maalula, Al Hasakeh e Qamishli.

Eu estava interessado em presenciar uma missa em aramaico e, depois de percorrer vários templos, encontro uma igreja ortodoxa síria. Converso com o sacristão, que me leva para dentro da igreja onde dois sacerdotes e onze beatas estão fazendo uma oração diária. Os sacerdotes de batinas pretas e barbas longas jogam incenso no altar e cantam em aramaico, acompanhados em alguns trechos pela beatas, todas sentadas juntas em bancos de um lado da igreja. Apesar de jovens, várias delas usam mantilhas. Rezam sentadas, mas em alguns trechos da oração se levantam e fazem reverências. O uso de instrumentos musicais é proibido no culto, e todos capricham nos cânticos antigos em aramaico.

Encontro também uma igreja católica síria onde outro sacristão, falando um inglês perfeito, me mostra toda a igreja.

— Eu vou lhe mostrar uma Bíblia escrita na língua em que falou Jesus Cristo

— disse, com ar de quem está contando o melhor segredo do mundo. Abre o livro com cuidado e depois passa a me explicar todos os detalhes da conversão de São Paulo.

Continuo curioso sobre essa história de línguas no Oriente Médio na época dos romanos. Então Jesus, como judeu, não falava o hebraico e sim o aramaico?

— Meu amigo — disse o sacristão em tom simpático —, sendo filho de Deus, Jesus falava todas as línguas, isso não era problema para ele.

E decretou a irrelevância da minha curiosidade.

Mas esse passeio pela igrejas cristãs acaba me levando ao bairro cristão de Damasco. Meio sem querer, eu encontro a rua do Bab Touma e começo a me afastar do bairro antigo. A rua vai ficando mais agradável, com suas pequenas lojinhas, algumas de propriedade de cristãos armênios, descendentes dos armênios que fugiram dos massacres na Turquia, no começo do século. E as mulheres voltam a aparecer, desta vez sem lenços nem roupões. Simplesmente de calça comprida ou vestidos. Os homens não usam mais a *galabía* e sim roupas ocidentais. O clima é descontraído como uma rua comercial numa tarde de sábado em um país mediterrâneo. Mesmo com toda a minha curiosidade em relação ao exótico e diferente, momentos como este, de reencontro com a civilização ocidental, parecem ser bem-vindos.

República Socialista Árabe Síria. O nome é curioso. Será que isso significa que a Síria é um daqueles remanescentes da ideologia de esquerda, uma Cuba no Oriente Médio?

O Partido Socialista Baath tomou o poder em 1963 através de um golpe. O partido acreditava em socialismo, economia centralizada e coletivização. Os bancos foram estatizados. O Baath defendia também o pan-arabismo. A Síria chegaria a se unir ao Egito de Nasser em um só Estado pan-árabe entre 1957 e 1961. E, sobretudo, os socialistas sírios acreditavam na "guerra popular de libertação" contra Israel. Durante muitos anos a imagem da Síria esteve associada a campos de treinamento para grupos armados internacionais e palestinos.

Em 1969, o então ministro da Defesa, general Hafez Assad, tomou o poder através de um golpe, tornando-se presidente, líder do Partido Baath e comandante das Forças Armadas. Ao longo dos anos, Assad seria reeleito quatro vezes, sempre com "ampla maioria".

Inicialmente, Hafez Assad combateu a política estatizante de seus antecessores. Mas no jogo das superpotências, a Síria, tradicional inimiga de Israel, acabou permanecendo aliada da antiga União Soviética. Este fato se reflete ainda hoje na vida diária do país.

Com o fim da União Soviética, no entanto, o regime de Assad iniciou uma reaproximação com o Ocidente. O presidente apoiou a coalizão de forças lideradas pelos norte-americanos na Guerra do Golfo contra Sadam Hussein. E tem lentamente adotado um programa de reformas econômicas.

Ao tomar o poder, Hafez Assad instituiu um colossal culto à personalidade no país. Hoje sua imagem é onipresente na Síria. Na frente da Citadela em Damasco, há um enorme pôster que dá o tom das exaltações à sua personalidade: "Hafez Assad está para o país assim como o Sol está para o Planeta Terra."

Slogans deste tipo se espalham por todos os prédios públicos, e sua foto, quase sempre ao lado dos dois filhos homens, está em todas as lojas, restaurantes, hotéis, carros, ônibus e qualquer outro lugar imaginável. Até os selos postais utilizam como ilustração a imagem do presidente. Os dois canais estatais de televisão divulgam apenas a versão oficial dos fatos e encerram a programação com uma foto de Assad em meio a um buquê de rosas.

Assad aparece evidentemente todos os dias também na imprensa escrita. "Al Thaura" é um nome muito usado no país. Em português siginifica "a revolução". Existe o diário "Revolução", com o noticiário oficial sobre o governo. Existe também a Rua da Revolução. Revolução no caso é o que o Partido Baath chama da tomada do poder pelo grupo do presidente.

Hafez Assad estava preparando o seu filho Basil para sucedê-lo. Mas o filho morreu em um acidente de carro, em 1994, e virou herói nacional, considerado como um mártir pelo sistema, pelo simples fato de estar em missão oficial quando seu carro bateu a caminho do aeroporto. Agora, um outro filho, chamado Bashir, está sendo preparado para suceder o pai, com direito já a todo o culto à personalidade e fotos espalhadas em todos os recantos do país.

As chamadas forças de segurança estão presentes em todos os lugares. Muitas divisões especiais compõem o aparato policial, cada uma controlando um aspecto da atividade social para prevenir qualquer movimento de dissidência. As forças de segurança têm até o seu dia especial, feriado no calendário, 29 de maio.

O calendário oficial sírio é politizado e militarizado para fazer inveja a qualquer república de esquerda. Existem feriados para o Dia da Revolução e para o Dia das Mulheres (ambos em 8 de maio); o Dia da União (22 de fevereiro); o Dia da Liga Árabe (22 de março); o Dia da Retirada (17 de abril); o Dia dos Mártires na luta contra a colonização francesa (6 de maio); o Dia do Exército (1º de agosto); o Dia da Marinha (29 de agosto); o Dia do Veterano de Guerra (6 de outubro); o Dia do Aviador (16 de outubro); o Dia do Movimento de Correção (16 de novembro) e o Dia dos Camponeses (14 de dezembro). Com tantas homenagens às forças armadas, não surpreende que quase metade do Produto Interno Bruto seja usado com gastos militares.

Israel é a obsessão do noticiário. A Síria perdeu as Colinas de Golan para Israel na Guerra dos Seis Dias em 1967 e nunca engoliu a derrota. Em Damasco existe um museu do exército onde os sírios apresentam velhos aviões soviéticos Mig que foram usados na "heróica batalha contra as forças sionistas".

Como toda república socialista, a Síria se gaba dos "avanços técnicos e científicos" e, para festejar tudo isso, nada melhor do que a Feira Internacional de Damasco, que ocorre todos os anos em um grande parque de exposições próximo ao centro da cidade.

Na entrada, milhares de homens se aglomeram para comprar o ingresso e entrar no Parque de Exposições. A polícia tenta separar os "casais" (rapazes amigos que andam de braços dados no costume árabe), para formar uma fila única de acesso ao parque. Lá dentro, em meio a fontes luminosas jorrando água para esfriar a noite quente, grandes pavilhões com novidades nos setores de maquinaria pesada, veículos, fertilizantes e bens de consumo, como televisões, geladeiras e máquinas de lavar. É curioso observar a geopolítica desta exibição. Há pavilhões de potências econômicas européias como a França (velha interessada na Síria), a Alemanha (que está em toda parte do mundo) e a Itália. Todos os vizinhos árabes também estão presentes. O Iraque voltou a participar da feira em 1997 após vários anos de ausência. Uma enorme foto de Sadam Hussein adorna a entrada do pavilhão iraquiano e a multidão faz fila para ver máquinas pesadas, alguns televisores e caixas de biscoitos *made in Iraq*.

Na Feira Internacional também estão presentes os pavilhões de países socialistas e os ex-socialistas, velhos companheiros de cooperação econômica com a Síria que hoje aproveitam o antigo relacionamento para tentar conquistar mercado. A Rússia, por exemplo, que ainda mantém um "Centro Cultural" em Damasco com curso de língua russa e exibição de filmes, manda uma grande representação à feira. A maior excentricidade da noite, no entanto, é o pavilhão da Coréia do Norte, ornamentado por grandes pôsteres onde se vê Hafez Assad cumprimentando fraternalmente o ditador Kim Il Sung, pai do atual líder Kim Jong Il. Os funcionários norte-coreanos trabalham com brochinhos de Kim Jong Il no peito, mas têm pouco a expor e a vender: apenas leques orientais e algumas peças de louça.

6 — Rumo ao deserto

Café da manhã no restaurante panorâmico do Hotel Samir, para onde me mudei há dois dias. O Hotel Samir é mais eficiente do que o Ramsis e também fica na Praça Al-Merjeh, no centro da cidade. Agora temos duas novas companheiras de viagem. Celene, uma garota magrinha de cabelo revolto que mora em Sidney, na Austrália, e acabou de chegar ao Oriente Médio. Tem sempre uma ponta de ironia em tudo que diz e não parece muito animada com o que está vendo em Damasco. A outra se chama Louise e vive em Invercargill, no extremo sul da Nova Zelândia. Usa óculos de menina estudiosa e parece meio obcecada por detalhes. As duas vão se juntar a Harry, a Ute e a mim a partir de agora.

Depois de seis dias em Damasco, reencontro o caminhão e partimos em direção à fronteira com a Jordânia. Mas ainda na saída da cidade, Louise descobre que deixou o passaporte no hotel. Enquanto esperamos que ela vá ao hotel de táxi pegar o documento, sentamos em uma lanchonete na periferia de Damasco e pedimos chá. O dono do local traz também uns *falafeis* e, quando vamos pagar, para nossa surpresa, ele diz que não é nada, tudo por conta da casa. Certamente o prazer de conversar com estrangeiros compensaria a sua despesa.

A viagem até a fronteira foi rápida e logo nos encontramos diante dos pôsteres de Hafez Assad dando adeus aos visitantes. À nossa frente nos esperam os pôsteres do Rei Hussein da Jordânia, com uma *kaffiyeh* branca e vermelha, bigodinho grisalho, terno impecável e aquele sorriso franco do homem do deserto. Na fronteira, os jordanianos me dão um novo visto. Eu não precisava, já tinha um visto válido no passaporte. Mas prefiro não fazer muita confusão.

Nossa primeira parada é Gerasa, as ruínas de uma cidade romana que fazia parte do agrupamento de cidades helenísticas da antigüidade conhecido como Decápolis. Percorremos o teatro romano, onde há um ponto acústico no qual ainda hoje a gente fala alguma coisa e, como por milagre, todo o teatro escuta. É como se houvesse um sistema elétrico de amplificação. As ruínas da rua principal mostram que em tempos romanos já havia propagandas comerciais, gravadas nas pedras em alfabeto grego.

Na chegada, Amã me lembrou imediatamente as cidades norte-americanas do oeste. A capital da Jordânia, a antiga Filadélfia romana, tem um estilo de vida baseado no automóvel, nas boas ruas asfaltadas, nas grandes distâncias e em casas confortáveis para a classe média. A Jordânia se diferencia logo da Síria pela ótima infra-estrutura de estradas e carros modernos nas ruas.

Meio contra minha vontade acabo não caindo na rua para explorar a cidade e janto com os companheiros de viagem no Cameo Hotel.

Começo o dia batendo papo com um garçom egípcio no restaurante do hotel. Minutos depois esse mesmo garçom derramaria café na minha camisa e pediria mil desculpas. Logo de manhã vamos para Madaba visitar uma igreja ortodoxa grega. A atração da igreja é um famoso mosaico bizantino que reproduz um mapa da antiga Palestina.

Depois, seguíamos para o Monte Nebo quando eu perguntei a Harry o que é que havia mesmo nesse monte:

— Bom, eu acho que alguém, talvez Moisés, disse ou viu alguma coisa em cima desse monte — explicou vagamente.

Numa viagem deste tipo pelo Oriente Médio é mesmo difícil se manter atento a todos os fatos históricos, datas, civilizações. É como se fosse uma aula permanente de História Geral. Sem intervalo para o recreio.

O Monte Nebo, na verdade, é considerado o local onde morreu Moisés. Uma espanhola lê uma placa em inglês traduzindo em seu idioma para uma amiga e se surpreende com a informação. Não é só Harry que parece desinformado. Lá em cima, hoje em dia, há uma capela cristã com belos mosaicos bizantinos e muitos turistas alemães. O melhor mesmo é a vista para o oeste onde se vêem claramente Israel, o rio Jordão, trechos do norte do Mar Morto, e em dias claros, me garante um guia, até as torres de Jerusalém.

Quando os turistas se vão, fico lá em cima quase sozinho. O silêncio é atrapalhado somente pelo barulho do vento balançando violentamente a minha camisa. Olho em direção às Colinas da Judéia. Tantas referências para nós, criados no Ocidente cristão. Difícil acreditar que uma região tão bonita como essa e nesse instante tão pacífica seja o palco tradicional de tantos conflitos. Israel à frente, ao mesmo tempo tão perto e tão distante. Se cruzarmos para lá, adeus viagem pelo resto do Oriente Médio. A Síria, por exemplo, recusa a entrada de qualquer um com o carimbo de Israel no passaporte.

Uma estradinha sempre descendo nos leva ao Mar Morto. Eu esperava uma água bem caudalosa e grossa. Não é. Mas a água tem uma alta concentração de sal (30%) e acaba sendo "sólida" o suficiente para não nos deixar afundar. Tiramos as tradicionais fotos lendo o jornal sobre a água. Foi divertido como voltar a ser criança. Depois, banhos repetidos no chuveiro para tirar o sal da pele. Estávamos no vale do Rio Jordão a 392 metros abaixo do nível do mar, o ponto mais baixo em todo o planeta.

Saímos do balneário ouvindo barulho de tiros de canhão. Talvez fossem os combates entre tropas israelenses e as bases de guerrilheiros no sul do Líbano. De volta a Amã, decidimos explorar um pouco o centro. Nada da imagem de zona de guerra que a mídia passa da Jordânia. Amã é uma metrópole de um milhão e meio de pessoas construída originalmente em sete colinas, as *jebel* em árabe, e dividida em grandes círculos, áreas que são identificadas pela presença de um balão para o trânsito. Fazemos uma visita rápida ao imenso anfiteatro do centro. Eu me separo do pessoal e vou andar sozinho. Pouquíssimas mulheres. Praticamente nenhuma sem lenço no cabelo. Vou ao terminal de lotações, como uns *falafeis* respondendo a perguntas sobre futebol. E pego um táxi de volta ao hotel.

— Jebel Amã no quarto círculo — digo decidido ao motorista.

Depois de sair do centro, percebo que o motorista não sabe como chegar. Mostro um mapa, mas ele não sabe ler nada que não seja árabe. Rodamos quase meia hora para achar o hotel. Sem usar o meu livrinho de frases em árabe, acabou sendo difícil. Mas conseguimos chegar.

Em direção ao sul da Jordânia, um dia de muitas paradas. Seguindo pela King's Highway, ou a Auto-estrada do Rei, passamos pelo Wadi al-Mujib, um belo desfiladeiro onde paramos para fotos. O silêncio era total. Havia somente uns garotos a distância vendendo pequenos fósseis. Chegamos a Kerak para visitar um daqueles castelos dos cruzados. Nada especial. O bom mesmo foi circular pela pequena cidade com um comércio fervilhando de vida, uma típica cidade árabe sem turistas. Mulheres na feira com os queixos pintados, como beduínas. Comi sanduíches de *falafel* com uma Pepsi e dois ótimos sorvetes. Aquela ótima sensação de estar longe de tudo, observando invisível a vida num planeta diferente, onde ninguém olha para mim. Em direção ao sul passamos por vários rebanhos de camelos e de cabras, que nos forçaram a parar o caminhão para evitar uma batida.

Paramos nas ruínas de Shobak, um castelo da época dos cruzados localizado no topo de um monte de onde não se vê nada, a não ser uma paisagem desértica por todos os lados.

Somos recebidos por um homem negro muito alto e metido numa *galabía* e numa *kaffiyeh* absolutamente brancas. Ele nos cumprimenta sorridente. Parece uma cena de filme B: um sujeito solitário morando sozinho em um castelo no meio do deserto e vestido de árabe dos pés à cabeça.

Ele me diz que é do Sudão e que se chama Abigail. Sai nos mostrando o castelo com prazer. Inicialmente mostra um túnel que, segundo diz, desce muitos metros e levaria horas para ser percorrido. Ute e Harry, como dois lunáticos, resolvem experimentar o túnel.

Abigail solta uma gargalhada e continua percorrendo conosco lentamente os labirintos do castelo e mostrando os pontos principais. Quando chega ao local onde funcionava a capela ele diz apenas:

— Church — e ri folgadamente.

Quando chegamos ao local da catapulta, ele diz:

— Catapult — e solta outra gargalhada.

Abgail não parece ter muito trabalho. Shobak não atrai muitos visitantes hoje em dia. Afinal, castelos como este existem aos montes na Jordânia. E o caseiro vai se mantendo ali na solidão, recebendo eventuais visitas de agricultores e beduínos da área. Conta que dorme numa casa não muito longe do castelo e que se abastece de mantimentos numa vila que fica a dois quilômetros.

Entramos numa barraca que vende objetos supostamente antigos. Servem um chá extremamente doce. Apesar de toda a insistência dos donos, ninguém compra nada. No final, um sujeito meio pegajoso, não tendo mais o que oferecer, me puxa num canto e pergunta se eu não quero comprar umas revistas eróticas.

Abigail posa para fotos e acena animado, sorrindo muito quando partimos. Descemos a montanha deixando lá em cima o solitário do Sudão. E seguimos pelas paisagens deslumbrantes do deserto no fim de tarde.

Confuso esse dinheiro da Jordânia, o dinar. Primeiro é uma daquelas poucas moedas do mundo cujo valor nominal é maior do que o dólar, isto é, um dólar compra menos de um dinar. Depois, o dinar é dividido em mil unidades chamadas fils. Mas para simplificar pode-se dizer também que é dividido em cem piastras, que seriam os centavos. Há ainda outras medidas para se contar o dinheiro. Somente no meu bolso eu encontrei notas de meio dinar, um, cinco e vinte dinares. E dez tipos diferentes de moedas, entre fils e piastras.

O dinheiro de repente ganha mais importância porque estamos em Petra, uma das maiores atrações turísticas de todo o Oriente Médio. A fama do local inflaciona bastante os preços.

A noite foi passada na pequena cidade de Wadi Musa, que vive do movimento turístico em torno das ruínas. Antes de dormir, ouvi do quarto do hotel um barulho de tiros, pela segunda vez na Jordânia.

Petra é a cidade perdida dos nabateus, construída a partir do século III antes de Cristo. As ruínas da cidade ficam hoje em uma espécie de parque nacional, com entrada controlada e paga. O local chega a ser visitado diariamente por 2 mil turistas durante a alta estação, que ocorre em março. Estamos na baixa estação, com 600 visitantes em média por dia, o que já é muita gente. A cidade serviu de locação para o filme de Steven Spielberg *Indiana Jones e a última cruzada*, o que contribuiu ainda mais para a sua fama.

A visita nos tomou um dia inteiro. Entramos no parque de manhã cedo. Eu rejeito os cavalos à disposição dos visitantes e decido caminhar os dois quilômetros até as ruínas passando pelo *siq*, uma fenda na rocha formada pela erosão que serve de caminho para a via principal de Petra. Caminhando pelo *siq*, aos poucos se obtém uma visão parcial do prédio onde funcionava o Tesouro, a principal atração arquitetônica de Petra. Esculpido num imenso paredão rochoso, o prédio em tom cor-de-rosa é realmente espetacular.

Depois caminhamos por outro *siq* até a Via Romana, a principal "avenida" de Petra, observando cavernas e, ao longe, as tumbas dos antigos imperadores do local. Durante alguns séculos, Petra foi um ponto importante na Rota da Seda. A cidade foi abandonada durante mil anos e descoberta somente em 1812 por Johann Ludwig Bruckhardt, um explorador suíço. Viajando patrocinado pela Sociedade Africana de Londres, Bruckhardt passou anos convivendo com os beduínos da região — único povo que conhecia a localização exata de Petra. O explorador fingiu ter adotado o islamismo para poder ser levado pelos beduínos à cidade secreta. As escavações arqueológicas começaram em 1929 e ainda prosseguem hoje em dia.

Passar dois dias na área de Petra, no entanto, não foi uma experiência das mais agradáveis porque significou uma concessão ao turismo convencional, às multidões de europeus que tanto estávamos tentando evitar. Acabaria sendo válido somente como conhecimento porque, afinal, a cidade representou na antigüidade um ponto importante nas caravanas que cruzavam a região.

Perambulei um dia inteiro pelas ruínas. Passei um bom tempo à sombra de uma árvore em frente ao museu de Petra, pensando se valeria a pena subir até um monastério que fica no alto de uma montanha. Decidi não subir e ter mais tempo para observar as ruínas ali embaixo mesmo. Revi várias pessoas que já vinha encontrando desde que entrei na Jordânia. Mochileiras australianas, casais de italianos, parece que todo mundo está fazendo o mesmo roteiro no país.

Refiz todo o caminho de volta, passando pela Via Romana e pelo Tesouro. Quando cheguei ao Tesouro, já na segunda metade da tarde, o prédio, que já é cor-de-rosa, exalava — esta é a palavra mesmo —, exalava uma coloração mais forte, quase hipnotizadora, uma imagem que valeu pelo dia todo.

Peguei novamente o *siq* estreito e longo e só então, andando cansado na areia fofa, percebi como havia percorrido um longo caminho. Encontro Celene em frente ao Hotel Mövenpick, que hospeda turistas italianos de alto poder aquisitivo. Celene me conta que comprou um sorvete por um dinar. Isso representa dez vezes o preço que eu paguei ontem em Amã por um sorvete semelhante. Petra parece ser mesmo a Disneylândia do mundo antigo.

Hoje seguimos em direção ao Wadi Rum, o mais deserto dos desertos jordanianos, no sul do país. Por preguiça, não comprei mais água e biscoitos em Wadi Musa para garantir a viagem. Talvez tenha de entrar nos mantimentos levados pelo caminhão. O dia promete ser longo e difícil.

As paisagens da King's Highway desafiam a nossa compreensão. Do lado oeste, em direção a Israel, avistamos montanhas baixas e, para além delas, uma planície infinita como o mar. Paramos duas vezes para conferir. Parece uma miragem.

No caminho para o sul há muitas tendas de beduínos no caminho. Em frente às tendas retangulares e espaçosas, geralmente há uma camioneta estacionada na frente e grandes depósitos de água na cor azul. Os beduínos desafiam os novos tempos e teimam em morar acampando no deserto. O homem pega a camioneta e vai à cidade mais próxima cuidar dos negócios. As crianças vão à escola. Mas e a mulher, o que faz o dia todo naquela tenda no meio do nada?

No final da manhã, saímos da King's Highway e pegamos a Desert Highway, onde há um pesado e rápido trânsito de caminhões em direção ao porto de

Ácaba. Mas para chegar ao litoral, nós vamos pelo caminho mais difícil: primeiro em direção à pequena cidade de Rum, onde tomamos chá em uma tenda de beduínos com um deles tocando um alaúde e cantando:
"*Habib... habib... habib...*"
"Amor, amor, amor", o tema eterno de todas as canções. Sentado confortavelmente em assentos formados por muitos tapetes e almofadas, tomando o chá doce, ouvindo aquela música meio aleatória e relaxando na sombra daquela espaçosa tenda, eu senti até vontade de passar uma temporada no deserto. Celene olhou para mim como se eu estivesse louco.

Rum é o ponto de partida para o deserto. A partir daqui não há mais estradas em direção ao sul ou ao leste. Nosso plano era seguir para o sul, em direção à fronteira com a Arábia Saudita pelo terreno arenoso do deserto. Antes da fronteira, desviaríamos para Ácaba, no sul da Jordânia. Começamos no deserto apenas seguindo o rastro meio antigo e apagado de outros veículos. Ute dirige, Harry vai de co-piloto. Celene, Louise e eu fazemos a festa lá em cima: abrimos o "teto solar" do caminhão e observamos tudo do alto como se estivéssemos sentados em cima de um ônibus. Mas a festa dura pouco, porque logo atolamos. E tivemos de descer para empurrar o caminhão.

Duzentos metros depois, um novo atoleiro de areia. Nesse ficamos. Harry e Ute se jogaram debaixo do caminhão para cavar a areia com as mãos, alegres como garotos que constroem castelos de areia na praia no primeiro dia de veraneio. Depois que a areia mais fofa foi removida, retiramos das laterais do caminhão as pesadíssimas esteiras de ferro que servem para ser colocadas debaixo dos pneus e ajudar a resgatar o veículo de grandes atoleiros. Alegando dores nas costas, Louise não participa da operação, o que limita nossa equipe a quatro pessoas.

Quando Ute acelera o caminhão, as rodas sobem nas esteiras e deslizam uns oito metros. O trabalho foi repetido mais uma vez e conseguimos sair da área do areal. Superado o atoleiro, seguimos em meio a uma terrível nuvem de poeira.

Quando já estávamos no meio do nada, paramos para o almoço na encosta de um monte. O pessoal colocou para fora toda a parafernália de mesas, cadeiras, fogareiro, pratos, talheres, baldes para lavar tudo com água tratada e outros apetrechos de cozinha para preparar o almoço. Eu preferi ficar fora desse esquema para não ter de participar de todo o trabalho. Era mais prático comer meus biscoitos e pão com refrigerante e aproveitar o tempo fazendo outras coisas. À noite eu compensaria no jantar.

Depois do almoço, todos se separaram e foram passear pelo deserto. Fiquei por perto do caminhão, aproveitando cada momento da solidão total e do silêncio absoluto que há no meio do deserto. Nenhum barulho de carro, nenhum ser humano à vista, nenhum animal, nenhuma tecnologia. Somente o terreno arenoso, as montanhas e o sol começando a descer às 4 da tarde.

O deserto é um daqueles lugares onde a gente ouve os próprios pensamentos. A solidão e o calor são purificantes. Agora dá para entender melhor a tradição mística desta região. Num planeta onde moram quase cinco bilhões de habitantes, este lugar ainda é tranqüilo e fascinante. O Wadi Rum e as montanhas são primitivos como no começo do mundo.

Após meia hora, o pessoal começa a voltar contando histórias dos montes por onde andaram. Todo mundo volta entusiasmado pela aventura. O Wadi Rum foi no passado cenário de um filme de grandes aventuras, a superprodução *Lawrence da Arábia*, de 1962. O filme contava a história verdadeira de T.E. Lawrence, o militar britânico que comandou, neste mesmo local, tropas árabes contra soldados turcos durante a Primeira Guerra Mundial.

Pensando naquelas cenas épicas, seguimos viagem em meio a muita poeira. Já perto de Ácaba, cruzamos com várias camionetas dirigidas por beduínos, todas no meio do deserto. Muitos motoristas acenam para nós sem demonstrar grande curiosidade. No começo da noite, encontramos novamente o asfalto e chegamos a Ácaba, balneário da Jordânia no Mar Vermelho, de onde avistamos as luzes de Eilat, em Israel, a poucos quilômetros dali.

A poeira do deserto me derrubou. Passei o dia seguinte adoentado dentro do bangalô que alugamos no Aqaba Hotel. Além do mais, o calor que fazia na cidade impedia qualquer movimentação. Saí apenas no final da tarde, de boné, óculos escuros e com uma garrafa de água mineral grande na mochila, procurando pelas praias "famosas" onde se pratica a caça submarina. Não encontrei. Para os padrões do litoral brasileiro, Ácaba me pareceu uma piada.

Depois do jantar, tomamos um vinho na praia. Agora sim, já escureceu e podemos sair do ar-condicionado. Refletidas na água, as luzes de Ácaba, as luzes de Eilat e as luzes dos navios que aportam naquele golfo no Mar Vermelho. Terminamos a noite em um show de dança do ventre que aconteceu no restaurante do hotel.

— A gente tem de conhecer um pouco da cultura local — observou Harry cinicamente quando foi censurado pelas meninas no caminhão.

Um novo dia começa com um banho às 6h30 da manhã no Mar Vermelho. À minha esquerda, Ácaba, e, além das montanhas, a apenas 20 quilômetros, a

Arábia Saudita. À direita, Eilat, e, mais adiante, o Egito, a região do Monte Sinai. Esse foi o aspecto interessante da visita a Ácaba – uma cidade localizada numa posição estratégica para quem gosta de geografia. Uma viagem destas é cansativa, se engole muita poeira e papo furado. Mas tem os seus bons momentos, como este mergulho no mar.

Depois do desvio pelo Oriente Médio, é hora de voltar para o norte, até a Turquia, evitando o Iraque, e depois virar para o leste e seguir rumo ao Oriente. Hoje é dia de zarpar direto para Amã pela Desert Highway, a Auto-estrada do Deserto. Na saída de Ácaba encontramos um gigantesco estacionamento de caminhões. Como único porto da Jordânia, Ácaba é responsável pela entrada das importações no país. Esse porto desempenha também um papel fundamental no comércio da Jordânia com o Iraque. Mesmo com o embargo econômico internacional contra o regime de Sadam Hussein, há suspeitas de que muitos dos produtos que chegam à Jordânia seguem nos caminhões rumo ao deserto e à fronteira com o Iraque, furando o bloqueio econômico.

— O que é que você está fazendo na Jordânia, pelo amor de Deus? — pergunta Omar Omari, um amigo jordaniano quando eu ligo para ele em Amã.

Fomos jantar juntos. Ter um amigo nativo faz uma enorme diferença numa viagem. É uma excelente oportunidade de ver a realidade pelos olhos locais, longe do ambiente de monumentos turísticos e cartões-postais. É também um momento para escapar do mundo dos viajantes ocidentais que enxergam tudo pelo ponto de vista "europeu" e passam o tempo numa espécie de gueto ambulante, onde a língua é o inglês e a filosofia de vida é a mochila. Nada de errado com eles. Mas ficar no meio dos mochileiros o tempo todo significa perder muito do sabor da cultura local.

Omar, o amigo nativo, trabalha para a Agência Oficial de Notícias da Jordânia e cobre as atividades do primeiro-ministro e da família real. Sempre que pode elogia junto aos amigos o papel desempenhado pelo Rei Hussein no seu país.

— Veja o exemplo de outros países árabes — diz confiante. — Aqui pelo menos temos estabilidade.

Conversando com ele num restaurante em estilo norte-americano, esperando pela nossa galinha com *houmus*, eu digo que estou impressionado com a infraestrutura do país e com o nível de vida da população.

— Você imaginava uma zona de guerra, não é?

Conversamos sobre o boom habitacional de Amã. Depois da Guerra do Golfo, cerca de 200 mil palestinos com passaportes jordanianos foram expulsos do Kuwait e de outros países árabes da região. A expulsão foi em represália ao apoio que o governo da Jordânia deu a Sadam Hussein durante a guerra. Todo esse pessoal voltou com dinheiro a Amã e investiu na compra de casas e apartamentos. A cidade cresceu e ficou mais bonita.

Mas Omar está longe de ser um ufanista. Quando o garçom do restaurante erra pela terceira vez ao tentar trazer o suco de laranja que pedimos, ele concede:

— Ainda somos Terceiro Mundo.

7 — Água, água, água

Partimos de Amã quando o sol começa a iluminar as colinas da região. O clima ameno da manhã acentua a beleza da cidade, pelo menos dessa área onde fica o hotel, que tem boas casas e embaixadas. Rumo à fronteira com a Síria, passamos por centenas de garotas na estrada, todas de lenço branco no cabelo a caminho da escola. Temos mais alguns quilômetros para desfrutar da organização da Jordânia, antes de voltar ao caos automobilístico sírio.

Já na fronteira, recomeça o culto à personalidade. Desta vez, nos deixam entrar sem maiores esperas. Depois de Dara, a cidade da fronteira, seguimos para Damasco. A cada dois quilômetros de estrada há um cartaz mostrando Hafez Assad. Na capital, aproveito uma parada rápida para ir ao comércio comprar uns cassetes e me abastecer de *falafeis* para a viagem. É aquela sensação gostosa de já conhecer a cidade, saber onde as coisas ficam.

Passamos por uns subúrbios de Damasco com ruas esburacadas onde há uma mistura de indústrias sucateadas e conjuntos residenciais muito pobres. Cinza como um subúrbio do leste europeu, só que ainda mais pobre.

Seguimos em direção ao leste e pegamos o mais desolado trecho de deserto até agora. Temperaturas altíssimas, consumo de água intenso entre nós no caminhão e o sol brilhando claro, como se estivesse tentando nos deixar cegos. Nada de um lado, nada do outro. Apenas o deserto. Depois umas poucas tendas de beduínos.

Vendo tanta aridez, eu não conseguia pensar em outra coisa a não ser em água, a importância lugar-comum desse líquido tão essencial, o sabor das águas minerais que eu vinha testando nas últimas semanas. Na minha caderneta de anotações estava lá: 27 garrafas de água mineral — garrafas de plástico de um litro e meio — consumidas e anotadas até agora. Em Damasco comprei mais duas garrafas da marca Dreikiche, que tomo agora para passar o tempo e passar a sede.

No final da tarde, como uma miragem aparecendo na nossa frente, um oásis cinematográfico e as ruínas espetaculares da cidade de Palmira.

Palmira é uma cidade do tempo da civilização assíria, quando, durante mil anos, serviu de entreposto para as caravanas que cruzavam o deserto. Foi anexada a Roma em 217 e veio a ser um centro de grande riqueza. Durante a época da Rainha Zenóbia, tornou-se uma cidade legendária que chegou a ameaçar a própria Roma. Mas acabou derrotada em 271 e logo depois o imperador Aureliano a incendiou. Foi o começo do fim. Os muçulmanos tomaram a cidade em 634 e um terremoto acabou por destruir o local em 1089.

Como ocorreu com outros lugares na região, Palmira ficou perdida durante séculos. Apenas os beduínos da área sabiam de sua existência até chegarem os arqueólogos europeus no século passado. Com as escavações, foi revelada uma cidade espetacular de longas ruas adornadas por colunas, fontes aquáticas, praças, teatros monumentais e um enorme templo a Bel, deus babilônico. Próximo à avenida principal, havia uma fonte conhecida como "Fonte da Rainha Zenóbia", usada pela própria governante para seus banhos diários. A fonte jorrou durante séculos. Até que, em 1976, a rede de hotéis Cham começou a construir uma filial em Palmira, próximo às ruínas. A construção afetou o lençol subterrâneo de água existente na área e secou a fonte. Em 1994 a água parou de jorrar.

Este é um dos muitos incidentes que a criação de infra-estrutura para o turismo de massa tem provocado em alguns lugares do mundo. E Palmira, apesar de não estar descaracterizada como Petra, pode também ter sua beleza afetada pelas hordas de turistas. Um exemplo disso é a Fortaleza de Ibn Maan, que fica sobre um monte de onde se tem uma vista espetacular de todas as ruínas, do oásis e da cidade nova. Subimos lá para ver o pôr-do-sol. Mas havia dezenas, talvez centenas de turistas alemães e italianos, armados de câmaras fotográficas, pendurados nas ruínas do castelo, como se fossem pássaros num final de tarde, procurando um galho para dormir.

Passamos a noite no Hotel Zenobia, um daqueles hotéis clássicos da época colonial, construído pelos franceses há 60 anos, mas muito bem conservado. A entrada do hotel dá para o centro da avenida principal das ruínas. À noite, dei um passeio pela Via das Colunas. Impossível não imaginar esta cidade cheia de vida na época dos romanos, com suas carruagens, escravos, lampiões, as intrigas entre os poderosos; dá até para ver Charlton Heston entrando num desses palácios para se encontrar com Zenóbia, interpretada por Elizabeth Taylor. Palmira lembra com precisão um cenário de filme épico.

A estrada em direção ao oeste é muito reta e nos leva direto para Homs. Passamos por várias tendas de beduínos, onde mulheres, usando vestidos muito coloridos, estendiam roupa em varais improvisados do lado de fora. Em Homs, desviamos para o norte. Paramos para o almoço em Hama, uma das cidades mais curiosas da Síria, onde a maior parte dos carros é muito antiga. Hama foi em 1982 cenário de uma feroz batalha entre fundamentalistas islâmicos e tropas do governo. Os fundamentalistas haviam ocupado alguns prédios públicos. O governo enviou o exército para encerrar a rebelião e o saldo do conflito chegou a 800 mortos. Em algumas partes da cidade ainda se podem ver marcas das balas.

Chegamos em Alepo no final da tarde. Na Rua Baron, ficamos em mais um hotel chamado Ramsis, em frente ao tradicional Hotel Baron. Alepo é uma daquelas cidades grandes, congestionadas, cheias de vida, do tipo que dá vontade de alugar um apartamento e ficar ali durante três meses. Saio pelo centro me deliciando com a enorme quantidade de cinemas, muitos deles em estilo *art déco*, exibindo na frente cartazes grandes e chamativos.

Alepo parece ser evidentemente uma cidade ainda mais conservadora do que Damasco no que diz respeito à vestimenta das mulheres. Aqui a cor preta é mais usada, mais mulheres usam a "máscara", um pano cobrindo o nariz e a boca e que só deixa de fora os olhos. E algumas usam vestidos relativamente ocidentalizados, mas com um lenço preto completo cobrindo toda a cabeça, até os olhos.

Mas no setor de tecidos do bazar principal da cidade, as lojinhas vendem as mais incríveis peças de tecidos dourados, prateados, com todas as lantejoulas possíveis. As mulheres que compram estes artigos, no entanto, são as mesmas que se vestem de forma conservadora. Eu fico imaginando em que ocasiões sociais elas usam aquelas roupas tão brilhosas e chamativas. Apenas para os maridos? Na presença de outras amigas mulheres? Não iria essa "ostentação" de encontro aos preceitos do islamismo mais conservador?

Percorro parte do bazar, escuro e misterioso. Entre as lojas há uma grande quantidade de caravançarais antigos. Os caravançarais serviam no passado como paradas de repouso para as caravanas que cruzavam a Ásia. Em torno de um pátio central — onde ficavam os camelos usados como transporte — havia quartos onde as pessoas descansavam antes de mais um trecho da jornada. Hoje os aposentos são geralmente usados como lojas.

A noite chega e eu começo a voltar para o hotel, mas antes decido procurar o bairro armênio por onde transitam os cristãos da cidade. Eu me certifico que cheguei ao bairro quando volto a ver mulheres sem lenço e usando calças compridas coladíssimas. Não sei se é o contraste com as mulheres que se cobrem totalmente, mas aqui na Síria, quando a gente consegue enxergar as mulheres nas ruas, elas exercem uma atração realmente especial.

No dia seguinte ainda tivemos tempo para explorar um pouco do centro de Alepo e visitar a cidadela do século XII. Decidi ir à estação ferroviária, atraído pela possibilidade de ver ônibus antigos e gente do campo. Havia centenas de pessoas sentadas no chão esperando pelos seus ônibus. Mulheres camponesas vestidas de forma colorida e étnica — nem a cafonice das roupas nas vitrines nem o rigor islâmico dos lenços pretos. A experiência sensorial de uma visita a uma estação rodoviária lotada no mundo antigo vale por dez visitas a castelos ou cidadelas.

Assim como em Hama, uma das coisas que dão um toque especial a Alepo são os carros antigos, geralmente amarelos. Chevrolets dos anos 50, outros bastante arredondados, alguns parecidos com o velho Simca francês.

Um pneu com problema atrasou nossa saída. Quando partimos de Alepo, pudemos observar como o norte da cidade parece com a Europa mediterrânea, com prédios de apartamentos e parques verdes. O percurso até a fronteira aconteceu dentro da confusão usual do trânsito sírio. A confusão só diminuiu quando a fronteira ficou bem próxima.

Na fronteira, somos os únicos a cruzar para o lado turco. Hafez Assad nos agradece a visita com o seu sorriso benevolente nos pôsteres de sempre. E nós sorrimos de volta. Não tanto retribuindo a "simpatia", mas aliviados por não termos de ver aquela foto em toda esquina a partir de agora.

8 — Curdistão — o começo do fim do mundo

No LADO TURCO DA FRONTEIRA, tudo estava deserto. Circulamos entre salas vazias à procura da polícia para carimbar os passaportes. Ao fim de alguns minutos encontramos alguns policiais que carimbam tudo sem problemas. Havia algumas lojas duty-free no local, com os funcionários cochilando. Fomos até lá para trocar umas libras sírias de que não precisávamos mais. Os caras nos atenderam como se fôssemos os primeiros clientes do dia.

Em Kilis, a primeira cidade da Turquia, de repente as estradas tornam-se melhores, a paisagem fica mais verde, o caminhão balança menos, os carros não buzinam. Para quem vem da Síria, a infra-estrutura turca parece ser quase "européia".

Ao conhecer meu roteiro de viagem, Sinan Gokcen havia me dito em Istambul:

— Nunca viaje de noite no leste da Turquia. Se for interrogado pelas tropas do exército, banque o idiota. Não diga que é jornalista, elogie a Turquia e diga que é tudo maravilhoso.

No leste da Turquia, região do Sudeste na Anatólia, em torno da área pela qual passamos agora, começa o Curdistão, onde desde o começo dos anos 80, grupos raciais travam guerra de guerrilha contra o domínio turco. O PKK, Partido dos Trabalhadores do Curdistão, de tendência marxista, tem realizado atentados esporádicos e até o seqüestro de estrangeiros para atrair a atenção para a sua causa.

Os curdos lutavam no início contra o abandono em que vivia a região, relegada ao segundo plano no que se refere a investimentos do governo. Como não receberam atenção de Ankara, grupos mais radicais partiram para a luta armada e passaram a defender a criação de um país independente, reunindo as populações curdas do Oriente Médio.

A reação das forças armadas turcas tem sido violenta. Muitas aldeias curdas, acusadas de fornecer suporte logístico para os guerrilheiros, foram destruídas e tiveram sua população transferida para cidades grandes. Calcula-se que 2 milhões de pessoas fugiram da área. Cerca de 300 mil soldados turcos já estiveram na região para lutar contra a guerrilha e 16 mil pessoas morreram nos primeiros dez anos do conflito. As constantes denúncias de violação de direitos humanos por parte das forças armadas têm impedido que a Turquia consiga estreitar o seu relacionamento com a União Européia.

Eu tento colocar Louise a par da situação. Ela, completamente alheia ao problema, insiste em retardar suas voltas para o caminhão durante as paradas, atrasando mais a viajem. Temos de parar numa cidadezinha para uma revisão nos pneus. Enquanto Harry e Ute vão a uma oficina, nós caminhamos um pouco pela rua principal patrulhada por guardas armados de metralhadoras. Mas o clima tenso logo é esquecido, porque somos cercados por uma multidão de curiosos. Inicialmente crianças, mas depois também senhores velhos. Um deles, de barba branca, insiste em falar com as meninas em alemão, sem nenhum resultado positivo.

Celene e eu resolvemos sair daquela confusão e procurar um local para tomar alguma coisa. Entramos num pequeno restaurante que estava deserto e pedimos chá. Um rapaz jovem que estava lá no fundo reluta um pouco, mas nos manda entrar e sentar. Quando a garotada percebe nossa presença no restaurante e começa a se aproximar, o rapaz fecha a porta para que eles não entrem.

— Agora nós sabemos como as estrelas do rock se sentem ao sair na rua — diz Celene.

Logo depois o rapaz do bar volta com copinhos de chá, vindo da rua. Percebemos que ele foi pegar o chá em algum outro lugar. Serve os copinhos e inicia a tradicional conversa. Mas fala apenas turco.

— Ben türküm. Siz nerelisiniz? — repete o rapaz, enquanto a gente se entreolha.
— Quem entendeu essa?

Depois de algum tempo, percebo, como numa charada, o que o sujeito quer dizer:
— "Eu sou turco. E vocês, de onde são?" — essa é a pergunta.

Evidente que a pergunta é óbvia, mas começo a achar que o livrinho de gramática básica e frases em turco que eu tenho folheado esporadicamente começa a dar resultados. Toda aquela loucura sobre "harmonia vocal" me ajudou a decifrar a pergunta. Um dos aspectos mais interessantes de uma viagem a países distantes é a possibilidade de aprender um pouco da língua. É impressionante a diferença que isso faz, nem que sejam apenas umas 30 palavras.

Hora de pagar e ir embora. Quanto será que vai ser isso? Carteira na mão, eu arrisco:

— Ne kadar?

O nosso amigo põe a mão direita no coração, faz uma reverência e um sinal com a mão como quem diz: "Não é nada, foi um prazer."

Como assim? Ele foi pegar o chá em outro local, interrompeu as suas funções e ainda não quer receber nada? Mostramos o dinheiro mais uma vez.

Ele novamente põe a mão direita no coração, uma outra reverência e recusa gesticulando com a mão.

Só nos resta agradecer repetidas vezes em inglês e em turco.

— Tesekkür ederim.

Mas antes de sair, temos de cumprir o ritual de troca de endereços e tirar fotografias. Apareço como voluntário para tirar uma foto de Celene e Louise – a que mais curte estas situações — no meio de um grupo de adolescentes que nesse momento, com o restaurante aberto, já nos cercava novamente.

É uma grande festa para todos. Saímos de lá entre acenos, agradecimentos e votos de boa viagem.

Na cidade de Gazi Antep, reaparece o boom habitacional da Turquia. Em segundos, conto 30 prédios de oito andares sendo construídos. Mas depois da cidade, a estrada passa por uma área imensa sem vegetação e sem nenhuma presença humana. Salvo uma ou outra cidade pequena e uma eventual barreira do exército, são muitos quilômetros sem ver ninguém. E esses lugares ficam ainda mais belos nos finais de tarde.

Somente às 7 da noite chegamos a Malatya. Trafegamos por uma hora e meia no escuro, contra todas as recomendações. Mas em Malatya estamos seguros. É uma cidade de tamanho médio, limpa e organizada. Única referência mundial da cidade: foi de Malatya que saiu Mehmet Ali Agca, que praticou um atentado contra o Papa em 1981. Ficamos no Büyük Otel, o Grande Hotel da cidade, novo e limpo como deve ser uma boa parada para a noite. Fica em frente à Nova Mesquita. Isso quer dizer que amanhã acordaremos com o nascer do sol, escutando o belo cântico islâmico. As meninas detestam a idéia.

Já estamos a 964 metros de altura em relação ao nível do mar e o clima já fica mais ameno. Noite agradável para um passeio pelo centro em busca de um restaurante para comer aquele arroz com galinha, prato meio sem gosto, mas muito barato. E depois comprar uns docinhos turcos.

Já nos arredores de Malatya vejo homens de meia-idade usando calças balofas, gorrinhos de lã pontudos e barbas brancas. Um deles aguardava à beira da estrada para atravessar com duas ovelhas. A paisagem é bonita, com muitas colinas, vegetação verde, clima de montanha e lagos. Ainda respiro com alívio por ter saído do caos das estradas da Síria.

Mas aqui a situação é tensa. Depois dos subúrbios de Malatya, começam as barreiras do exército, nas quais somos parados e os passaportes são levados para guaritas, para serem checados. Num trecho de 445 quilômetros fomos parados seis vezes por soldados armados com metralhadoras. Os recrutas do exército não chegavam a ser grosseiros, mas estavam longe da cordialidade da população local. Em alguns pontos de controle, no entanto, notamos que eles queriam mais era um motivo para bater papo conosco, estrangeiros, e para isso demoravam um pouco a liberar os passaportes.

Numa das barreiras de controle, Ute tentou reclamar da demora na devolução dos passaportes e acabou envolvendo-se em uma discussão que eu considerei totalmente desnecessária. É o tipo de situação que eu bem preferiria não ter de presenciar.

Paramos para o almoço numa cidade chamada Bingöl. As ruas estavam encantadoras em dia de feira. A maioria das mulheres usava um véu cobrindo toda a cabeça. Outras usavam um lenço branco cobrindo o nariz e a boca. Os homens, além das calças balofas e toucas de lã, portavam um lenço colorido sobre a touca, o que lhes dava um aspecto bem tribal e festivo. Os mais folclóricos estavam sentados em banquinhos nas casas de chá com mesas na calçada. Nesse território ninguém fala realmente inglês, e meu livrinho de frases passa a ser cada vez mais usado.

Desta vez tento explicar num pequeno restaurante cheio de gente que quero uma pizza sem carne. Depois de muita gesticulação e várias folheadas de páginas, encontro a frase em turco. Quando disse finalmente o que queria, percebi que o restaurante inteiro observava a minha luta com o idioma.

Quando voltamos ao caminhão, Harry estava cercado por garotos, como se fosse um palhaço de circo chegando à cidade para anunciar o espetáculo. Todos faziam questão de perguntar de que país vínhamos. Não dava para dizer que eu era da Venezuela num local desses. A palavra mágica é Brasil. Entro no caminhão ouvindo gritos:

— Pelé, Ronaldo, Romário...

A duas horas de Erzerum, começamos a ver tendas redondas e brancas, armadas no campo, como se fossem pequenos circos. São habitadas por nômades e bem diferentes das tendas dos beduínos da Síria e da Jordânia. Chegamos em Erzerum no finalzinho da tarde. A cidade tem um curioso ar de cidade russa, mas isso faz sentido. Erzerum fica a apenas 150 quilômetros da fronteira com a Geórgia, república que pertencia à ex-União Soviética. Erzerum é também o maior centro militar do leste da Turquia, fundamental para o combate aos militantes curdos. É da base militar da cidade que as forças armadas turcas lançam ataques contra bases curdas até no norte do Iraque. Quartéis estão por toda parte nessa região.

Quando saímos para jantar, um sujeito aparentando 40 anos, de terno sem gravata, e sem ser convidado, nos acompanha cordialmente. Vai chamando a nossa atenção para o perigo de atravessar a rua num determinado ponto, tentando mostrar uma coisa ou outra. Nada fala de inglês. Apontando para um papel, eu pergunto no meu turco primário o equivalente a: — Onde fica restaurante?

Ele arregala os olhos e apressa o passo, todo animado. Leva-nos ao Güzelyurt Restaurant, o melhor da cidade. É um longo caminho a pé.

— Mas o que é que esse cara quer com a gente? — admira-se Louise.

Eu acho que é só cordialidade. Ao chegar no restaurante, ele faz um sinal para Louise como se quisesse saber a que horas poderia vir buscá-la. Louise gesticula dizendo:

— Está tudo encerrado, muito obrigada.

E nosso "amigo" foi embora.

Foi o melhor jantar de toda a viagem, excelente galinha grelhada, purê de batatas, arroz e água. Voltei sozinho pelas ruas frias e ventiladas. Essa era a primeira temperatura abaixo de dez graus desde o começo de primavera no norte da Europa. Eu me sentia como se devesse estocar o frio para as semanas que viriam pela frente. A diversidade de paisagens e situações nessa viagem já ficava bem clara: há nove dias estávamos abaixo do nível do mar, nas águas do Mar Morto. Agora estamos a 1.853 metros de altura. Uma semana atrás estávamos em Ácaba a mais de 35 graus centígrados e hoje à noite a previsão é de dois graus negativos.

Uma das delícias de viajar na Turquia é observar a diversificada cultura pop que existe no país, divulgada por uma infinidade de publicações e pela televisão. Em contraste com o conservadorismo das ruas, o que se vê na televisão são modelos espetaculares em quadros do tipo Garota do Fantástico; uma profusão de ritmos musicais, dos mais tradicionais até às imitações comerciais do pop europeu; produção local de filmes; programas de debate; manifestações políticas; idéias radicais em discussão. É um país sem dúvida divertido de se observar pela TV.

O recepcionista do hotel onde ficamos em Erzerum me conta que há cinco anos existiam seis cinemas na cidade.

— Agora há apenas uns dois cinemas. Temos 16 canais de televisão, você compreende? Alguns transmitem durante as 24 horas do dia.

Maçãs, ameixas, melancias, melões, uvas. Uma feira de rua muito colorida em Erzerum. E em clima de montanha. Nunca imaginei a cultura turca em um cenário frio como este. E estamos apenas em época de final de verão aqui. De forasteiros pelas ruas da cidade, apenas uma dupla de mochileiros da Alemanha. De resto, é para mim que os olhares da população local se desviam.

Mas Erzerum é uma cidade confortável para se circular. Entro num antigo caravançarai, hoje transformado em um mercadinho de jóias. Corresponde exatamente à imagem que tenho da Ásia Central. Aproveitei o tempo para comprar uns filmes fotográficos. Esse é o nosso penúltimo dia num país que tem um pé na Europa. Depois é o mergulho de vez no Oriente e volta aquela leve preocupação sobre o que pode acontecer.

A garotada da Turquia não perde a oportunidade de cumprimentar estrangeiros. Numa loja de discos, enquanto eu dou uma olhada em discos curdos e na música turca local, uma garota adolescente se aproxima sorridente e pergunta em inglês qual é meu nome. Procura na cabeça outra coisa para dizer em inglês e dispara:

— Good morning, class!

Quando digo que sou do Brasil, eles me olham como se fosse do planeta Netuno. O funcionário que me atende, feliz por eu ter comprado dois cassetes, diz que, se eu precisar de qualquer coisa na cidade, é só voltar à sua loja.

Quando entro numa casa de chá, um garoto acompanhado por adultos na calçada pergunta:

— What's your name?

Na saída, ele faz a mesma pergunta, provavelmente a única que lembra das aulas de inglês. O povo turco não tem nada de tímido. Parece que todos se sentem compelidos a usar o pouco de inglês que têm com todos os estrangeiros que encontram pela frente.

Nas ruas de Erzerum, um novo tipo de traje. Mulheres idosas usando uma espécie de xador que aparenta ser de um tecido grosso como estopa, em cor clara. Algumas dessas mulheres pedem esmola nas ruas, fato raro no resto da Turquia.

Em todo o mundo muçulmano, homens andam de braços dados, às vezes de mãos dadas. Mas em geral fazem isso quando são rapazes. Em Erzerum, no entanto, vi duplas de meninos e de senhores idosos também andando de braços dados na Avenida da República, a principal rua da cidade

Saímos às 13 horas. Belas montanhas dos dois lados semi-áridos da estrada.

Aqui acabam as construções de edifícios que marcaram todas as estradas turcas até então. As vilas se tornam mais tradicionais, as casas mais precárias. Há aldeias de casas feitas de pedra onde o mato cresce no telhado, às vezes misturado a antenas parabólicas. Alguns poucos camponeses conduzem rebanhos de carneiros.

O sol estava se pondo atrás da gente no oeste e iluminava com uma tonalidade suave uma vasta região de montanhas. Foi nesse ponto, a 43 quilômetros de Dogubayazit, que tivemos a primeira visão do Monte Ararat. A montanha de 5.137 metros ia se tornando a cada momento mais imponente e majestosa, com seu cume totalmente coberto de neve. À nossa frente estavam agora apenas a cidade de Dogubayazit e o Irã.

Dogubayazit é a imagem perfeita da cidade fronteiriça, com ruas sem calçamento, comércio e restaurantes pobres. A cidade funciona como ponto de parada para caminhoneiros e mochileiros que cruzam para o Irã, que fica a apenas 35 quilômetros. O clima é cinza e triste neste final de tarde. Em frente ao Hotel Darya, onde ficamos, há um tanque de guerra estacionado. Recrutas jovens percorrem as ruas fardados, procurando algo para fazer nas horas de folga. A Belediye Caddesi, a rua principal, além de não ter calçamento, tem em alguns pontos grades de ferro pontudas para impedir que os carros transitem em alta velocidade. Algumas lojas nessa rua expõem bebidas alcoólicas nas vitrines, visando os clientes iranianos que eventualmente cruzam a fronteira para desfrutar das liberdades da Turquia.

Saio para jantar sozinho no único restaurante que me pareceu decente. Estou tomando uma sopa de lentilhas com pão e água, quando chega todo o pessoal. A cidade é pequena e não há muitos lugares aonde se possa ir. Perto de Dogubayazit fica praticamente a única fronteira aberta entre a Turquia e o Irã, e a cidade se transformou numa espécie de funil por onde passa todo o pessoal que segue por terra para o Oriente. Alguns estrangeiros circulam pela Belediye Caddesi, todos com aquele ar de quem está realmente no meio do mundo. Um deles, com jeito europeu, janta do meu lado com um vistoso brinco na orelha esquerda. Eu me pergunto se ele vai tirar esse brinco para entrar no Irã.

Dogubayazit parece ser o fim do mundo. Agora não dá mais para retornar. É seguir sempre em frente.

Nosso último dia na Turquia é um belo dia de sol e, da frente do hotel, eu vejo o cume do Monte Ararat, onde, segundo a Bíblia, estão os destroços da Arca de Noé. Em outros tempos, poderíamos ir com um motorista local até mais perto do monte. Mas desde que começou a insurreição curda, a área ficou perigosa e muitas vezes até fechada a estrangeiros. Além do mais, nos alerta um guia de viagens, há o perigo dos "ferocious sheep dogs", isto é, cachorros usados para conter rebanhos de ovelhas, que são ferozes e estão à solta na região.

Na Belediye Caddesi, os homens parecem com os turcos de Berlim e Hamburgo, com seus bigodões, terno sem gravata e ar soturno. Mas na realidade a população aqui é de maioria curda. Eles se mostram gentis quando precisamos de alguma coisa.

A principal tarefa do dia de hoje é arrumar a bagagem. Temos de verificar cuidadosamente para ver se não estamos carregando nenhum item proibido no Irã: alguma publicação que tenha publicidade de calcinhas, por exemplo. Isso poderia complicar a entrada no país. Livros sobre a política iraniana, revistas pornográficas, jogo de cartas e bebidas alcoólicas, nem pensar. O refrigerador dentro do caminhão terá de ser cuidadosamente examinado para que não se deixe nenhuma lata de cerveja ou garrafa de vinho.

À tarde, vamos de caminhão visitar as ruínas do Ishak Pasa Sarayi, o palácio do general Ishak, construído no século 17 como residência para o líder otomano da área. Passamos uma hora percorrendo as ruínas do local, a mesquita, o harém e os muitos cômodos do castelo. Depois fomos ao Murad Camping para o jantar.

Murad é um simpático sujeito de bigodão. Senta com a gente na mesa e diz que é curdo e que conhece gente do mundo inteiro, pessoas que param no seu camping vindo ou indo para o Irã. Depois diz que é armênio também. Pai curdo, mãe armênia, ou vice-versa? Nada disso. Ele afirma que curdos e armênios são a mesma coisa, o mesmo grupo étnico. É incrível como existe confusão e desinformação sobre a formação étnica entre os próprios representantes dessas etnias.

Além do nosso pequeno grupo, apenas três estrangeiros estão no restaurante. Uma garota de longas tranças e um loiro de cabelo rastafari vindos da Áustria. E um holandês muito alto chamado Sjwak que pede para sentar à mesa. Sempre com uma cerveja na mão, Sjwak conta que saiu da Holanda numa motocicleta de competição e percorreu toda a Europa e Rússia até Vladivostok. Depois esteve no Japão, embarcou a moto para Bangladesh e veio voltando pela Ásia até chegar à Turquia.

— Passei três meses sem tomar uma cerveja — conta o holandês, virando mais uma garrafa da Efes Pilsen turca.

Sjwak faz a apologia da solidão. Viaja sozinho em sua moto há dois anos e três meses e sempre acampa, de preferência no meio do nada. Vai dormir com a chegada da noite e acorda com o sol.

— Você tem de aproveitar bem o dia. À noite não se vê nada — explica.

Disse que não agüenta mais responder a perguntas da população local sobre si próprio. Mas só pretende voltar à Holanda para o aniversário de 40 anos de casamento dos pais.

Conversando sobre os nossos planos de viagem, Ute diz que, no Paquistão, não vamos pegar toda a rodovia de Karakoram, porque isso tomaria uma semana de viagem. Sjwak perde a paciência e pergunta:

— Uma semana? Mas, afinal, o que é uma semana na vida da gente?

Depois do jantar, voltamos já no escuro para o hotel. No quarto de Ute e Celene ocorre uma pequena festa. Nossas companheiras encerram todo o estoque de bebidas alcoólicas do caminhão. Amanhã entraremos na República Islâmica do Irã.

9 — De volta a 1376

Os 35 QUILÔMETROS SE PASSARAM RAPIDAMENTE e já estamos chegando à fronteira entre Turquia e Irã. O sol leve da manhã ilumina o Monte Ararat à nossa esquerda. Harry hoje vestiu pela primeira vez nesta viagem uma camisa de manga comprida, calça também comprida e tênis, abandonando a camiseta, o calção e a velha sandália de couro. Eu sempre andei de tênis ou bota e calça comprida, mas hoje não arregaço as mangas da camisa e, por via das dúvidas, fecho os botões até o pescoço.

Do lado feminino, a situação é mais complicada. Ute aparece de manhã já totalmente coberta de preto. O lenço acentua seu rosto magro e sem brilho, e ela, francamente, parece com uma assombração. Celene, sempre pragmática, está metida num roupão que comprou em Damasco. O lenço em torno do rosto acentua seus traços suaves e domina o seu cabelo rebelde. E Louise, bom... Louise está xingando todo mundo e dizendo que não vai agüentar o calor que vai fazer quando ela finalmente conseguir enrolar o lenço em redor do rosto.

Este é o *hejab*, o código de vestimenta do Irã, que se aplica também aos estrangeiros. Abra um botão, mostre uma mecha de cabelo feminino e você terá problemas sérios com a polícia — pelo menos é isso o que diz a regra. Preferimos não arriscar.

Antes de cruzar a fronteira, damos uma breve olhada na cratera formada por um meteorito que caiu em 1920 na Turquia, a poucos metros do território iraniano. E aproveitamos para observar mais de perto o belo Ararat.

Entramos no posto de controle turco às 8h30, uma daquelas construções malcuidadas da Turquia. Na fila, um caminhoneiro turco vê o meu passaporte na mão e elogia o futebol brasileiro. Eu rebato perguntando se ele torce pelo Galatasaray. O caminhoneiro sorri emocionado e, com os olhos umedecidos, põe a mão no coração e ergue os braços ao céu. O teor da conversa resume minha passagem pela Turquia.

Em poucos minutos os passaportes estavam carimbados. Passamos a um salão grande considerado como terra de ninguém, que não pertence a nenhum dos dois países. Há duas grandes fotos nas paredes: sobre a porta que acabamos de cruzar, Atatürk nos dá adeus. Na porta da frente, o aiatolá Khomeini e o presidente Mohamed Khatami nos dão as boas-vindas.

A porta iraniana se abre e, com cautela, entramos em outro ambiente onde há um guichê e uma pequena fila. Harry, num ato paternalista, confere a roupa das meninas e ajeita o lenço de Louise para que nenhum cabelo fique à mostra. Ela parece não se preocupar muito, nem se dá conta da importância do momento. Muita gente deve ter tido o acesso negado ao Irã desde 1979, devido a pequenas distrações como essas. Eu prefiro me concentrar na minha situação.

Quando chega minha vez na fila, eu me apresento e tento encarar com serenidade o guarda revolucionário do outro lado do vidro. Ele veste uma farda preta com uma insígnia no ombro que lembra uma caveira com dois ossos cruzados. Usa um cabelo curto com uma pequena franjinha e uma barba desgrenhada. A imagem acabada de uma fanático iraniano tão popularizada no Ocidente depois da queda do xá.

O guarda olha burocraticamente o meu passaporte, confere o visto, observa a foto, mas não compreende o nome do país.

— Brasil? — me pergunta incrédulo, sem entender do que se trata.

E agora? Como é que se diz Brasil no idioma persa? Eu decido arriscar em outras línguas:

— Brésil, Brazil, South America — grito pelo vidro, tentando superar o barulho de uma britadeira que parece vir do lado de fora do salão.

Talvez não tenha sido boa idéia falar em "America". E se ele entender que sou dos Estados Unidos? Decido apelar:

— Brazil, Pelé, football!

Mas nesse momento ele se volta para um guarda que está atendendo outra pessoa e mostra o passaporte. Abrem um leve sorriso. Descobriram o que vem a ser República Federativa do Brasil.

Foi a melhor carimbada que este passaporte já levou. O carimbo mostra: "Posto de fronteira de Barzagan. Dia 24 do sexto mês islâmico do ano de 1376."

O salão seguinte é enorme e há grandes filas com pessoas carregando grandes malas e sacos. Somos convidados a furar a fila e passamos incólumes pela alfândega, somente mostrando os passaportes. Depois trocamos dinheiro no banco oficial e ficamos esperando que o caminhão se desvencilhe da parte burocrática. De forasteiros, além dos meus amigos, apenas uma japonesa sozinha que usa uma calça jeans, um camisão folgado e um lenço. Acho seu traje um pouco ousado para os padrões iranianos, mas ela tem uma expressão de tanta tristeza e tédio que deve despertar piedade de qualquer guarda revolucionário.

Às 11 horas, Ute aparece com o caminhão e embarcamos. Temos ainda dois postos pela frente. No primeiro, entra um sujeito levemente obeso e de aparência simpática. Vem em minha direção, pega na minha barbicha e diz:

— Mulá — e solta uma gargalhada.

Em seguida, se escora no refrigerador e começa:

— Uísque, cerveja, vinho, revistas pornográficas, jogo de carta...

— Não, não, nada — responde Harry. — Não temos nada disso aqui.

Ele dá uma olhada nos livros lá atrás, abre o refrigerador e vê que só tem refrigerantes e água. E vai embora. As fitas cassetes lá na frente escaparam. E o meu rádio de ondas curtas, escondido no cofre, também.

No posto seguinte, Harry entrega um documento relativo ao caminhão e nos liberam rápido. Estamos oficialmente dentro, depois de três horas e meia de fronteira. E uma placa informa:

"Bem-vindo à República Islâmica do Irã. Mantenha o meio ambiente limpo. Em caso de problema, entre em contato com a polícia. Só pague a conta com a apresentação da nota fiscal."

A primeira cidade é Barzagan, um ponto de caminhoneiros, com centenas de caminhões estacionados esperando a liberação burocrática. Encontramos um casal de mochileiros ocidentais, a garota usando uma engraçada combinação de lenço no cabelo, roupão folgado e uma mochila nas costas.

Pegamos a estrada em direção a Tabriz tendo o Ararat ainda à nossa vista, ficando para trás. Na pequena cidade de Maku, paramos por 45 minutos, atraindo a atenção de todos. Mulheres de xador preto e homens invariavelmente de barba. Há um certo clima de agressividade no ar, talvez devido ao trânsito desorganizado. Tomei um chá por 200 riais, cerca de seis centavos de dólar. Pergunto a Celene se ela acha que eu tenho saudades de Londres, onde o mesmo chá custaria cerca de US$ 1.70, quase 30 vezes mais caro.

De novo na estrada, paramos mais adiante em um restaurante para usar o banheiro que ficava ao lado. Tudo escrito em persa. As meninas entraram em um banheiro e eu, por exclusão, entrei no vizinho. Só que ao sair do sanitário, as meninas encontraram um homem lavando as mãos numa pia. E concluíram estar no banheiro dos homens. Pelo amor de Deus, isso significa, novamente por exclusão, que eu estava usando o banheiro das mulheres, em pleno Irã islâmico e revolucionário. Imagina se entra uma mulher no momento em que eu estou lá e me denuncia ao Comitê de Segurança. Preciso aprender rapidamente como se escreve em persa as palavras "homem" e "mulher", para ler nos banheiros.

— Pé na tábua, Harry. Vamos cair fora daqui!

Eu vinha lendo muito sobre as restrições ao vestuário no Irã. Sabia, por exemplo, que as minorias étnicas não têm de se vestir da mesma forma que as muçulmanas da etnia persa, majoritária no país. Apenas têm de cobrir o corpo e o cabelo. E essa informação se confirmou nas primeiras horas no país. Passamos por uma vila de casas de barro, talvez de população curda, e percebi algumas mulheres de lenço no cabelo mas usando saias em cores fortes, azul e vermelho. Em seguida, em uma outra vila, uma dessas imagens que só aparecem em sonho. Um grupo de mulheres e crianças voltando do campo com jarros de barro com água, todas vestidas no mais espetacular dos amarelos, saias longas e vistosas e fortes bijuterias prateadas contrastando com a cor ocre da paisagem. Estávamos na província do Azerbaijão, no extremo noroeste do Irã, que faz fronteira com as Repúblicas da Armênia e do Azerbaijão, antigamente pertencentes à União Soviética.

No meio da tarde chegamos a Tabriz, uma das maiores cidades do país, centro industrial e capital da província. Nos registramos no Hotel Darya — curiosamente o mesmo nome do hotel da noite passada, em Dogubayazit. Ute, em outro ataque de mau humor, discute com o recepcionista, que insiste em ver nossos passaportes.

Pegamos um táxi para o centro e Harry pergunta ao motorista se Tabriz é uma cidade interessante.

— No — responde ele secamente. E depois acrescenta: — Tabriz normal.

Tabriz é uma cidade normal, certamente. Uma metrópole iraniana com um trânsito maluco, pôsteres de Khomeini nas praças, slogans revolucionários em cartazes espalhados na Avenida dos Mártires e na Avenida do Imã Khomeini. Tabriz fica em uma área propensa a terremotos. Por ser um centro industrial, foi muito bombardeada durante a guerra com o Iraque.

No centro há um bazar antigo e ruas para pedestres com um comércio rico e diversificado; garotos adolescentes circulam de jeans, tênis e alguns até de camisas de mangas curtas; há muitas mulheres em todas as ruas, em contraste total com a Síria e com o leste da Turquia; as velhotas usam xador; as garotas jovens usam tênis e calça jeans, só que tudo coberto pelo *roupush*, o roupão iraniano de mangas compridas que desce solto até o joelho e esconde qualquer traço de sensualidade. Ao contrário das mulheres mais conservadoras, as garotas geralmente usam lenços coloridos e às vezes mostram um pouco do cabelo caindo sobre a testa.

Em Tabriz há também barbudos por todos os lados, usando terno sem gravata. Os habitantes dessa área são azerbaijanos, um povo que fala uma língua turcomana, semelhante ao turco e ao cazaque, por exemplo. Os homens têm a cabeça extremamente afilada e ainda usam um cabelo preto alto no topo, dando uma aparência realmente estranha. E, é claro, as barbas estão por toda parte. Isso faz com que me sinta em casa, afinal, eu cultivei uma barbicha nas últimas semanas com esse objetivo mesmo.

Andávamos numa rua do centro em grupo, coisa que eu faço muito raramente. Muita gente olhava para a gente e sorria. Um sujeito parou com a família e puxou conversa. A mulher toda coberta de preto se aproximou e abriu um belo sorriso. No meio das gentilezas, o marido convidou a gente a visitar a casa da família. Mas o convite se perdeu entre outros temas da conversa. Saímos dali com o primeiro exemplo de hospitalidade iraniana.

Tabriz não é forte em restaurantes. Passamos mais de meia hora atrás de algo para comer e só encontramos um restaurante bem precário. Um garoto, muito surpreso com a nova clientela, nos serviu timidamente arroz com uma espécie de feijão. Experimentei uma garrafa de Zam Zam, um refrigerante local.

Na volta, dividimos um táxi com um outro cara que não sabíamos quem era. Harry ia lá na frente espremido entre o motorista e ele. O nosso novo companheiro de táxi insistia em fazer perguntas, todas em persa. Harry respondia às perguntas dizendo o nome das cidades de onde vínhamos e para onde íamos. Mas parece que não era essa a resposta desejada, porque o rapaz continuava a fazer perguntas. Pena que ainda não deu tempo de estudar persa para praticar um pouco.

Perto do hotel há uma lojinha aonde vou comprar água e biscoitos e um outro sujeito puxa conversa. Diz que trabalha consertando telefones. Conversamos sobre celulares e sobre futebol, Pelé mais precisamente.

— Estou muito feliz em conversar com você — repete ele, de cinco em cinco minutos.

Dois garotos se aproximam atraídos por Louise. Em um inglês precário, fazem todas as perguntas que podem. Parecem fascinados com a oportunidade de falar com estrangeiros. Convidam-nos para visitar suas casas, pedem endereços, dizem que gostam de música. Um deles gosta até de rap. E diz que é cantor.

— Mas você canta onde? — pergunto.

— Não, aqui é proibido, aqui é uma república islâmica — ele aponta para o lenço de Louise. Eu não posso cantar em lugar nenhum. Mas a gente ouve música nos canais de televisão da Turquia.

— Não podemos dançar — diz o outro. — Os mulás não deixam.

Na manhã seguinte, deixamos Tabriz e pegamos uma estrada sinuosa no meio de um vale com montanhas ao lado. Verifico no walkman as rádios locais, mas são poucas as opções. Consigo sintonizar uma de Tabriz, provavelmente em língua azerbaijana, que dá as notícias a cada hora e toca um estilo de música para reflexão, muito triste.

Improvisar um sanitário na beira da estrada sempre foi moleza para homens. Não no Irã. Aqui temos de descer pelo barranco nos escondendo dos carros. São detalhes que vamos começando a apreender, para sobreviver sem problemas nesse mundo estranho.

Almoço em Zarjan, uma cidade grande da região central. No meio da tarde chegamos a Ghazvin, para passar a noite nesta cidade de 250 mil habitantes, que chegou a ser a capital do país por um breve período, no século 16. Nesta semana se comemora 17 anos da declaração de guerra contra o Iraque e as praças de Ghazvin estão também cheias de cartazes e outdoors que, geralmente, mostram uma pintura do rosto de um jovem barbudo de ar triste em meio às nuvens, como se estivesse no céu. Na parte de baixo, uma cena de batalha, onde ele perdeu a vida na guerra. Tudo isso com slogans patrióticos de defesa da revolução.

A terrível guerra contra o Iraque foi o aspecto mais traumático das primeiras duas décadas da revolução iraniana. Mas não foi o único. A tomada do poder pelos fundamentalistas islâmicos em 1979 representou um rompimento radical com décadas de liberalismo moral e de idéias ocidentais que vigoravam no Irã. Inspirado no modelo de ocidentalização imposto na Turquia por Kemal Atatürk, o xá do Irã, Reza Khan Pahlevi, e depois seu filho, Mohamed Reza Pahlevi, haviam aproveitado o boom do petróleo para aproximar o Irã do Ocidente do ponto de vista cultural e econômico. Empresas norte-americanas passaram a investir maciçamente no país, a cultura de massas ocidental circulava livremente entre os iranianos e as mulheres foram integradas ao setor produtivo e desestimuladas a usar o véu.

Mas ao mesmo tempo em que o xá abria o país a novas idéias, ele mantinha um sistema político fechado que privilegiava a poucos, e no qual a corrupção e a violação dos direitos humanos eram práticas comuns. O aumento do preço do petróleo no começo dos anos 70 enriqueceu alguns iranianos mas deixou evidentes as disparidades econômicas no país. Grupos de oposição intensificaram a oposição ao xá. Entre eles estavam liberais, comunistas e republicanos. E havia o clero muçulmano, que nunca engoliu a ocidentalização do Irã imposta pela família Pahlevi. O movimento de massas acabou derrubando o xá. Mas na hora de botar a mão no poder, os fundamentalistas foram mais fortes e assumiram o controle do país.

Na liderança estava o aiatolá Ruhollah Khomeini, um dos líderes mais carismáticos do século. A volta de Khomeini ao Irã, após décadas de exílio no exterior, gerou cenas de histeria coletiva sem precedentes, com militantes islâmicos gritando:

"Khomeini, tu és a mais pura alma, nossos corações estão contigo, oh homem santo!"

O que se seguiu foi um período de radicalismo antiocidental extremo, apoio oficial a grupos terroristas islâmicos e tomada de reféns na embaixada dos Estados Unidos em Teerã, país ao qual o aiatolá se referia como o "grande satã". Internamente, o Irã voltou a ser uma sociedade gerida pela lei islâmica revelada a Maomé no século VII. Ao contrário do que acontece em alguns países árabes, as mulheres continuaram trabalhando — hoje há até uma mulher ocupando o cargo de ministra da Cultura. Mas foram obrigadas a abandonar as roupas ocidentais e passar a cobrir o corpo, como manda a lei islâmica.

Em 1989, Khomeini morreu e foi substituído pelo aiatolá Ali Khamenei, que passou a liderar o país. Hoje os iranianos votam para o parlamento e para presidente. Mas o poder é exercido mesmo pelos aiatolás (espécie de cardeais do islamismo xiita) e pelos milhares de mulás (sacerdores) que, de suas mesquitas, controlam o comportamento moral da população.

O Irã de hoje, no entanto, começa a mudar lentamente. Para a presidência foi eleito um liberal, Mohamed Khatami, que fala em reiniciar o diálogo com o Ocidente. O sistema aos poucos abranda o discurso radical em busca de investimentos externos.

Em Ghazvin, por exemplo, as pessoas parecem não ligar muito para política, nem mesmo para os cartazes com os heróis da guerra contra o Iraque. Em lugar de barbudos queimando bandeiras norte-americanas nas ruas, o que se vê são muitas mulheres percorrendo as bonitas lojas de tecidos coloridíssimos. Essas lojas usam na fachada uma animada iluminação em néon. É surpreendente observar que nas vitrines há roupas para jovens com ícones da cultura dos EUA, país ainda condenado pela propaganda oficial no Irã: há camisetas à venda com gravuras de Mickey e Minnie, com o emblema da Coca-Cola e até com as insígnias da Naval Force, a marinha norte-americana.

Também no centro da cidade, casais tomam sorvete com os filhos. Os carrinhos Paykan, de fabricação iraniana e linhas retas, enchem as ruas. As pessoas fazem compras até as 9h30 da noite. E as vitrines estão cheias de tênis à venda. Há marcas famosas como a Adidas e a Ellesse e imitações como Redbook, tentando confundir o consumidor ávido por um Reebok.

No centro de Ghazvin há quatro lojas que vendem cassetes e alguns poucos CDs. De nomes ocidentais, à venda apenas o francês Richard Cleyderman e trilhas sonoras de filmes como *Ben-Hur*, *Papillon* e *Dança com lobos*. Há muitas fitas com cânticos religiosos e "música para reflexão" que invariavelmente vêm numa capa que mostra cenas "celestiais", o mesmo estilo dos cartazes dedicados aos mártires da guerra.

Procurávamos a saída de Ghazvin na manhã seguinte quando, num balão, um guarda de trânsito estranhou o caminhão e mandou que a gente parasse. Harry, na direção, não viu o sinal e prosseguiu. Dois minutos depois, um táxi cruzou o nosso caminho e dele saiu um policial furioso que pedia a Harry explicações sobre o incidente. Num misto de coragem e maluquice, Harry se recusou a apresentar o passaporte. O guarda ameaçou prendê-lo. Curiosos paravam para ver a discussão e um deles resolveu traduzir o óbvio:

— Ele é da polícia — informou o transeunte.

— Eu sei que ele é da polícia — respondeu Harry afobado. — Mas eu quero saber o que fiz de errado.

O policial acabou nos deixando prosseguir.

A estrada de Ghazvin em direção ao sul do país segue novamente no meio de um vale e depois de um certo tempo torna-se monótona. Paramos para o almoço no meio do nada, em pleno deserto. Depois passamos também em Soltaniyé, um imenso mausoléu que tem a maior cúpula de todo o mundo islâmico.

A 60 quilômetros de Isfahan, nos deparamos com uma cidade de barro inesperada. À beira da estrada, próximo a uma cidade moderna, existe todo um complexo de ruas, casas, praças, tudo feito de barro e palha. Percorremos as ruas desse local fantasma seguidos por um grupo de meninos que moram nas imediações. Algumas casas de barro estavam trancadas com cadeados, o que nos fez pensar que a cidade ainda era habitada por algumas pessoas. Na saída encontramos alguns adultos. O homem nos disse que o local se chama Muchohar. Uma mulher simpática coberta por um xador estampado também entrou na conversa. Chamou um dos garotos para traduzir. Mas envergonhado com todos os olhares sobre ele, o garoto acabou não traduzindo nada. Usamos as poucas palavras gentis que sabíamos em persa para agradecer e seguimos em frente.

Chegamos em Isfahan no final da tarde e nos registramos numa espelunca chamada Hotel Aria, com um banheiro que exalava mau cheiro e um sistema de ar-condicionado sobre o qual não tínhamos controle. Mas o hotel era barato e bem localizado, próximo ao centro da cidade. Já na primeira noite, Isfahan parecia encantadora, correspondendo à fama que tem de ser a cidade mais bonita de todo o Irã.

"Isfahan é metade do mundo", dizia a sabedoria popular no século XVI, quando a cidade foi embelezada pelo xá Abbas I, para se tornar a capital do país. Abbas I mandou construir mesquitas espetaculares com cúpulas decoradas em azulejos azuis, praças, fontes e pontes que dão até hoje à cidade um ar de descontração e relaxamento. Isfahan tradicionalmente atrai pessoas ligadas às ciências humanas e está longe do radicalismo islâmico de cidades como Ghom, o centro dos aiatolás, e Meshed, no norte do país.

Na manhã seguinte, pegamos um táxi para o setor de passaportes da polícia com o intuito de renovar o visto que só me permitia ficar uma semana no país. O motorista educado ia nos mostrando, orgulhoso, locais como a Universidade de Isfahan. Depois de 30 minutos de espera, recebi um novo carimbo garantindo mais duas semanas no Irã.

Eu vinha caminhando pelo centro quando encontro Celene, Louise e um iraniano. Hamid parece encantado com as meninas, mas, quando chegamos à Praça do Imã Khomeini, elas decidem voltar ao hotel e sobra para mim a função de entreter o iraniano com notícias do exterior.

Hamid diz que se corresponde com pessoas de todo o mundo, inclusive do Brasil. Fala esperanto, estuda inglês na universidade e está preocupado com o serviço militar que ainda não concluiu. Quando a conversa deriva para música, ele me fala das fitas piratas que circulam no mercado. No Irã, é praticamente ilegal se ouvir música que estimule a dança ou que não leve à reflexão religiosa. Mas entre os milhões de iranianos que fugiram após a revolução, muitos são artistas que gravam em países como os Estados Unidos. O trabalho desses artistas acaba retornando ao país de forma ilegal e circulando entre os interessados.

Marco um novo encontro com Hamid para o final da tarde. Encontro-o novamente pela Praça do Imã Khomeini, desta vez acompanhado de um amigo, Mohamed, que é estudante do último ano do curso de medicina. Os dois pretendem imigrar para o Canadá ou para a Austrália e por isso não perdem nenhuma chance de conhecer o maior número possível de estrangeiros.

Por um milagre, o futebol não é o tema inicial da nossa conversa. Mas não ficaríamos muito tempo longe da bola. Enquanto conversávamos, passa um garoto e pergunta aos dois iranianos de onde eu sou. Quando dizem que sou do Brasil, o garoto exclama:

— Salaam Pelé! — isto é, "Dê minhas lembranças a Pelé".

Dentro do ritual de cordialidade iraniano, Hamid me traz de presente um livro de língua persa para estrangeiros, já fora de catálogo, publicado antes da revolução. Eu nada tenho para dar em troca a não ser moedinhas do Brasil. Enquanto conversa, Hamid mantém um olho nas meninas que passam ao nosso redor. Ele se anima todo quando passam duas garotas com mochilas, com jeito de estrangeiras. Corre até lá mas volta rápido:

— São iranianas — diz, decepcionado.

A conversa se volta para o tema mulheres no Irã. Vou direto ao assunto. Como é que se namora aqui no Irã?

— Oficialmente, tudo é proibido, mas ilegalmente tudo acontece e quase todo mundo tem namorada — resume Mohamed.

— Bom, para que eu entenda, me digam primeiro o que é considerado legal e o que é considerado ilegal.

— Legalmente, um rapaz não pode falar com uma menina na rua a não ser que ela seja sua irmã, noiva de aliança ou esposa. Quando alguém simpatiza com uma garota, o procedimento é o seguinte: ele vai até os seus pais ou a um irmão mais velho, comunica as suas intenções e eles então entram em contato com os pais da menina. Estes, por sua vez, perguntam à garota se ela está interessada. Se a menina topar, marca-se uma festa de noivado e depois o casamento — diz Ramid.

— Mas se o contato direto é proibido, como é que ela vai topar se não te conhece?

— Bem, aí começa o lado ilegal da história. Na faculdade, as turmas são mistas, mas os homens sentam de um lado da sala, as mulheres do outro. E não podem conversar entre si. Mas aí a gente fala com as meninas sob o pretexto de "pedir um livro emprestado", por exemplo. Depois ela te pede um outro livro e aí se estabelece a paquera. No fim a gente sabe mais ou menos quem é quem.

— Mas as coisas sempre seguem esse caminho tortuoso?

— Não. Na realidade, você conhece uma menina na faculdade, troca telefones e a convida para uma casa deserta e fica com ela.

— Então elas tiram o lenço para o namorado?

— Claro, elas tiram tudo. Mas em geral não se faz amor com a menina "totalmente" porque aqui a virgindade é importante. Se a menina perder a virgindade, ninguém quer casar com ela.

— E quando um amigo visita a casa de outro, as mulheres da família, isto é, a mãe e as irmãs, elas aparecem sem lenço no cabelo ou sem xador?

— Aí depende. Quando as famílias são íntimas, isso não é problema. Isso ocorre também muito nas classes mais altas — responde Mohamed.

A partir daí prosseguimos num papo sobre quem compra o quê para a casa depois do casamento, assunto de muita importância no Irã. Hamid e Mohamed fazem questão de explicar também o complexo sistema de dotes ainda em vigor no país. Fico de ligar para eles no dia seguinte.

Hoje temos um novo encontro para a noite. Volto ao hotel apressado e na entrada um garoto pergunta de onde sou. Apesar do desgaste de estar tendo de falar com todo mundo o tempo todo e responder a perguntas desse gênero, eu respondo educadamente. Quando chego ao hotel, descubro que o tal garoto que acabou de me abordar é filho do professor que nos convidou para jantar na sua casa. Ele estava justamente nos procurando para levar o grupo até o carro do pai, estacionado ali perto.

Mustafá é um professor de inglês que trabalhava com os norte-americanos numa fábrica da Coca-Cola até 1979.

— Depois da revolução, os americanos foram embora e eu não tive mais como praticar o inglês — diz ele com um sorriso triste.

Enquanto dirige o seu Paykan pelo trânsito louco de Isfahan, Mustafá reclama do isolamento do Irã e vai direto ao assunto política:

— O novo presidente Mohamed Khatami é um homem culto e educado que vai realizar mudanças, trazer mais turistas para o país.

Mustafá havia conhecido Harry no dia anterior em um estacionamento de carros e, ao saber do nosso pequeno grupo, nos convidou imediatamente para um jantar. O convite foi aceito de cara por Harry, Louise, Celene e por mim. A casa dele fica num bairro de ruelas estreitas onde mal passa um carro. Mas é uma casa espaçosa, no estilo da classe média brasileira. Parece mais espaçosa ainda porque não há móveis.

Sentamos em tapetes no chão da sala e nos servem copinhos de chá, uvas e pedaços de melão. Mustafá tem quatro filhos: dois garotos que falam bem inglês e nos fazem todas as perguntas que garotos de 12 anos gostam de fazer; uma menina de menos de 15 anos que circula pela casa de xador em cores claras servindo chá; e uma garotinha de três anos sem nada no cabelo que nos olha curiosa e acompanha toda a conversa na sala.

Eu e Harry sentamos com o dono da casa na sala de visitas. As meninas são discretamente segregadas no terraço junto com as crianças. A mulher de Mustafá, sempre de xador, aparece brevemente na chegada mas não nos cumprimenta. Fica na cozinha, parte da casa a que não tivemos acesso. Dentro de minutos chega um irmão do professor. Chama-se Mortaza e é engenheiro de uma fabrica de refrigerantes que substituiu a Coca-Cola. O dono da casa começa a falar sobre o país em tom meio de desabafo:

— Antes da revolução nós éramos livres. Mas Khomeini tomou o poder e foi um homem cruel, apoiado por gente sem educação.

Mortaza não concorda:

— O meu irmão critica o regime porque ele não viaja ao exterior. Eu estive no Azerbaijão, na Turquia e sei o que são os problemas que existem por aí — afirma Mortaza.

Mas Mustafá não arreda pé. Critica a propaganda oficial que apresenta a imagem do Ocidente como um mundo corrompido e depravado. E volta a elogiar a eleição de um liberal para a presidência do país.

— Agora as coisas devem melhorar um pouco.

Os garotos nos mostram alguns livros em que estudam inglês. Eu pergunto se não existe uma contradição entre o discurso antiamericano e a ênfase que é dada ao ensino do inglês no Irã. Sem querer reforçar meu argumento, descubro uma mensagem escrita pelo próprio Khomeini como introdução num livro de inglês para estudantes do primeiro grau. Mustafá traduz a mensagem e responde à minha pergunta.

"É importante aprender inglês, porque esta é a língua da ciência atual. E nós precisamos exportar nossa revolução para outros países", dizia resumidamente Khomeini na introdução do livro.

Acompanhando a mensagem na mesma página há uma foto do aiatolá. Sobre a foto, os garotos haviam pintado chifres e retocado com caneta de tinta preta a barba branca de Khomeini.

Mustafá me puxa para um canto e pergunta como é que funcionam as coisas na nossa viagem, dois homens, três mulheres, todos solteiros, quem fica com quem... Eu respondo que esta questão não se coloca mais nos países ocidentais, homens e mulheres se relacionam também como amigos. Além do mais, a dinâ-

O primeiro amanhecer na estrada

Os primeiros sabores do Oriente. Loja de doces no bazar de Istambul

Istambul, a metrópole

Pudding Shop, ponto de partida dos hippies no passado

Miragem do deserto? Hafez Assad imortalizado em estátua na areia

Assad homenageado num globo terrestre em Alepo

Palmira do alto, no fim da tarde, bela como uma alucinação no meio do nada

Cinema antigo na cidade de Hama, norte da Síria

Petra: monumento cavado na pedra cor-de-rosa

Celene e Louise (e Marcelo) entram no deserto

Tentando capturar o Monte Ararat em foto

Uma parada no Curdistão

Nômades no leste da Turquia

Montanhas, grandes espaços e clima de guerrilha

Auto-retrato do autor no Curdistão

Detalhes da mesquita do Castelo de Ishak Pasa

O carimbo no passaporte indica:
ano de 1376

Mesquitas e mártires em Isfahan

Os iranianos divertem-se nos cinemas no feriado de sexta-feira

A colmeia humana: casas abandonadas no sul do Irã

Atraindo as atenções em vilarejo no interior do Paquistão

Rua em Peshawar, na Província da Fronteira Noroeste

Permissão para entrar em área tribal

Estradas ruins e caminhões psicodélicos no Paquistão

Lollywood, o centro da indústria cinematográfica mais espetacular do planeta

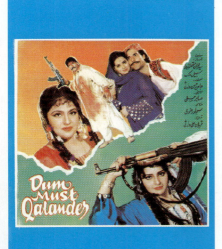

Cartaz de filme paquistanês

Herança Mughal: mesquita de Sexta-feira em Lahore

Amanhecer em Amritsar, no Templo Dourado

Todos às compras na Chandni Chowk, em Delhi

Dois guerreiros *sikhs* posam para o Ocidente

Raj Mandir – cinema à moda antiga

Garotas indianas em Fatehpur Sikri

Templo dos jainistas em Khajuraho

Estd. 1980   Regd. No. 932

CONCERT

ON
EVERY SATURDAY & WEDNESDAY
FROM 8.00 P. M.
(Indian Classical Music)

PLACE :—
International Music Centre (Ashram)
[NEAR DASASWAMEDH GHAT]
D. 33/81, KHALISHPURA, VARANASI [U. P.]

Organised by :-
Pt. Kesava Rao Nayak
(International Tabla Player)

(Lessons Are Available Here In Ashram)
WE ARE TEACHING AND GIVING TRAINING IN PERFORMING
CLASSICAL MUSIC HERE EVERY DAY FROM
8 A. M. TO 8 P. M.
SITAR, SANTOOR, SAHANAI, FLUTE, SARANGI, VIOLINE,
TABLA, MRIDANGA, VOCAL, KATHAK, BHARAT
NATYAM DANCE & YOGA ETC.

À procura da sitar: música clássica indiana

O "Tempo", um dos mais exóticos veículos da Ásia

Harry, o motorista zen

Monges tibetanos olham Kathmandu do alto

Stupa budista de Swayambhunath

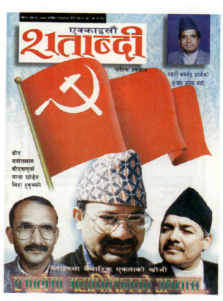
Os comunistas assumem o poder no Nepal: Marx no Himalaia

Detalhes da entrada de gompa tibetana

Freak Street, vista de cima. O fim da linha

mica da viagem não deixa tempo para muitas oportunidades de interação. E nós, na verdade, estamos é muito mais interessados em conhecer a população dos locais por onde passamos.

Ele me olha sério e fica pensando sozinho. Eu aproveito a deixa e pergunto como foi a mudança no Irã, isto é, até 79 muita gente no país era ocidentalizada e de repente as mulheres tiveram de usar xador e houve a separação entre os sexos.

Ele diz que prefere não falar sobre o assunto.

Mas Mustafá insiste em nos mostrar a cidade no dia seguinte. Explicamos que já temos uma pessoa que vai fazer isso, mas ele não compreende a negativa educada. No fim da noite sobra para mim a tarefa de dar o não definitivo. Ao nos deixar de volta no hotel, ele pergunta se eu havia lido algo sobre as etiquetas da cultura iraniana antes de chegar ao país. Digo que li um pouco. Teria sido isso um elogio? Ou cometemos alguma gafe séria?

Temos um passeio pela cidade marcado para hoje. E às 8 da manhã aparece uma guia que se apresenta como Shireen, uma bela garota de vinte e poucos anos, de olhos grandes sombreados por uma leve maquiagem. Usa tênis e calça jeans sob um *roupush* escuro. E sobre a cabeça usa um pesado lenço escuro, cobrindo todo o cabelo e o pescoço até o queixo.

Talvez entusiasmado pela oportunidade de conhecer de perto uma iraniana, Harry esquece tudo o que leu sobre o Irã e estende a mão:

— É um prazer conhecê-la.

Ela baixa a cabeça, recusa o aperto de mão e diz:

— Isso aqui é proibido, você sabe...

Entramos num carrinho velho e vamos até a Masjed-é Jame', a Mesquita da Sexta-Feira, um dos principais monumentos islâmicos do país, que mostra estilos arquitetônicos que vão do século XI ao século XVIII. Deserto de visitantes e de fiéis, o local é bonito e pacífico. Shireen nos explicava detalhes da arquitetura, quando apareceu um mulá por perto. Ela discretamente ajeitou o lenço na cabeça que, saindo do lugar, já mostrava alguns fios de cabelo.

Fomos tomar chá numa loja de tapetes cujos funcionários eram extremamente gentis e cultos. Fiz muitas perguntas sobre estilos e detalhes de tapetes e *kilims*. Eles não perderam a calma e a pose quando saímos sem comprar nada. Profissionalismo europeu com cortesia oriental, mistura difícil de se ver por aí.

Depois fomos à igreja de Vank que fica em Jolfa, o bairro armênio de Isfahan. Jolfa é um curioso enclave cristão no meio do Irã. O bairro foi fundado em 1606 pelo Xá Abbas I com o objetivo de servir de moradia para os armênios que haviam sido capturados durante as guerras com os turcos otomanos. Os armênios puderam preservar a sua religião católica e hoje Jolfa é a sede do arcebispado da Igreja Armênia da Índia e do Irã. Passamos rapidamente nos Manar Jomban, os minaretes famosos por balançarem levemente com o peso dos visitantes, e no Templo do Fogo, usado no passado pelos seguidores do zoroastrismo. Antes de voltar ao hotel, Shireen nos contou que tem uma irmã na Austrália e outra nos Estados Unidos e que ela gostaria muito de visitar aqueles países. Na despedida, contatos corporais, nem pensar.

Pena que hoje é sexta-feira, o feriado muçulmano, e Isfahan está quase deserta no meio da tarde. O grande bazar do centro está fechado. As lojinhas na praça principal, a Praça do Imã Khomeini, também estão parcialmente fechadas. Mas à noite o panorama muda de figura e Isfahan brilha.

Na Chahar Bagh, a rua dos quatro canteiros, a população toma sorvete e freqüenta os muitos cinemas da área. O Irã atualmente tem uma bem azeitada indústria cinematográfica que produz anualmente filmes de ação para o mercado local. E também filmes de qualidade de diretores como Abbas Kiarostami (*Através do jardim das oliveiras*) e Mohsen Makhmalbaf (*Gabbeh*) que têm encantado a crítica em festivais internacionais.

Além dos cinemas, outra atração noturna em Isfahan é a Sio Sé Pol, a Ponte dos 33 Arcos, construída sobre o Rio Zayãndé. Sobre essa bela ponte erguida em 1602, os carros não passam. O tráfego é apenas de pedestres que caminham para o lado sul da cidade ou se dirigem às casas de chá na parte inferior da ponte, de onde se escuta o barulho suave da água passando nas pequenas cachoeiras presentes neste trecho do rio.

No hall do Hotel Abbasi, o melhor da cidade, uma multidão se concentra na televisão para assistir a uma partida do Irã pelas eliminatórias para a Copa do Mundo. O Abbasi é um antigo caravançarai do tempo da dinastia dos safávidas que foi transformado em um hotel de luxo. No centro do hotel há um grande pátio com um jardim e fontes que lembram fielmente um clima de mil e uma noites. Tudo está bem cuidado e bem iluminado.

Eu estou andando no jardim quando uma garota sentada num banco ao lado de amigos me chama e vai logo perguntando de onde eu sou e se estou gostando do Irã. Antes que eu consiga dizer por que estou gostando, ela dispara:

— Ah, o Irã é muito ruim, a gente não tem liberdade, os jovens são muito cerceados.

Esta é Azita, uma figurinha maluca que usa um lenço colorido e um roupão em cor bege, muito claro para os padrões do *hejab*. Ela está acompanhada de uma morena de traços exuberantes a quem chama brincando de Janet Jackson; de Mohamed, uma cara educado, bem-vestido e que fala excelente inglês; e de um outro sujeito que só fala persa.

Azita fala alto, dá gargalhadas e se insinua dizendo que gostaria de casar com um estrangeiro para ir morar no exterior. Eu fico olhando sobre o ombro, meio preocupado com a informalidade destas meninas em público. E se passar um guarda da revolução e vir o bate-papo ilegal?

Mohamed tenta falar sério:

— Qual a imagem que os iranianos têm no seu país? O povo acha que somos todos assassinos? — pergunta ele com ar triste.

Eu respondo que a imagem é formada pela televisão e nem sempre é a mais positiva, mas que ao conhecer o Irã de perto, a gente percebe que é um país normal. Em outros países também há restrições e...

— Nenhum país tem restrições tão grandes como o Irã — interrompe ele. — Aqui os jovens...

— Vamos tirar uma fotos? — convida Azita toda animada.

Eu fico pensando se é uma boa idéia chamar a atenção para a nossa presença ali na praça com um flash, mas aí Azita já mudou de idéia e me mostra uma fotografia de um rapaz dançando numa festa, um primo dela. Ah, as festas, como é que vocês se encontram nessas festas?

— A gente organiza escondido, em casas de parentes. Ouvimos músicas ocidentais, e o pessoal até dança — conta Mohamed, sem se entusiasmar.

— E as garotas tiram estes lenços?

— Claro — responde Azita. — Eu mesma tenho um cabelo longo e bonito.

E nesse momento, enquanto fala, ela vai titando o lenço e mostra o cabelo por cinco segundos. Janet Jackson faz o mesmo. Soltam uma gargalhada e voltam a colocar o lenço. Em plena praça pública.

10 — Pra lá de Teerã

ISFAHAN DESPERTA PARA UM NOVO dia com dezenas de pessoas tomando o café da manhã no parque ao sul da Ponte dos 33 Arcos. Famílias colhem água de grandes samovares e tomam chá tranqüilamente na beira do rio. Parecem ter dormido ali mesmo no conforto dos tapetes que carregam na traseira dos carros. Essa foi a nossa última visão de Isfahan antes de pegarmos a estrada rumo ao sul do Irã, uma estrada como sempre plana em meio aos desfiladeiros.

O planalto que domina o Irã central é tão extenso e vazio que eu imaginava que um avião poderia fazer um pouso de emergência aqui numa estrada dessas ou até no campo, sem grandes problemas. Alguns meses após nossa passagem, um avião da Iranair fez mesmo um pouso de emergência no meio do nada e ninguém se feriu.

As estradas rápidas do Irã são pontuadas por pequenas cidades distantes umas das outras. Aqui e ali vemos instalações militares sempre com enormes pinturas de Khomeini e Khamenei nas paredes. Khomeini parece observar todos os movimentos, com seu turbante preto, barba branca e olhos frios, quase cruéis. A vida e o trânsito seguem em frente.

Depois de mais de 400 quilômetros, passamos próximos a Pasárgada, do poema de Manoel Bandeira, e depois paramos em Persépolis, a antiga capital do Império Persa, construída por Dario I cerca de 500 anos antes de Cristo. A cidade foi destruída por Alexandre da Macedônia em 323 a.C. mas depois foi reconstruída. Hoje, no entanto, suas ruínas são apenas um fantasma do que a cidade foi no passado.

Ao lado das ruínas ainda existem alguns marcos da "cidade das tendas". As enormes tendas foram erguidas em 1971 para celebrar os 2.500 anos do Império Persa. A comemoração, organizada pelo xá Reza Pahlevi, reuniu milhares de convidados do jet set internacional e representou um dos exageros do Irã que se modernizava à mão de ferro. A festa acabou sendo o "canto do cisne" para a ditadura do xá.

Na entrada de Chiraz, a cidade dos poetas iranianos, também uma antiga capital do país, nos metemos em um dos piores engarrafamentos de toda a viagem. A confusão no trânsito forçou Ute a fazer um retorno numa rua congestionada complicando mais as coisas. Esse setor da cidade "parou" para ver a nossa entrada. Quando finalmente conseguimos estacionar o caminhão perto do hotel, passamos dez minutos para poder atravessar a rua principal com mochilas devido ao trânsito intenso, uma mistura enervante de automóveis com motocicletas.

São 10.636 quilômetros percorridos de Londres até Chiraz. E temos uma longa estrada pela frente. Até agora foram muitas dezenas de mesquitas, igrejas, templos, monumentos. Dezenas de cidades, centenas de paisagens diferentes. E eu me sinto já meio saturado, não da viagem e do novo, mas do ritmo da viagem e do grupo com que divido este caminhão/ônibus. Numa viagem como esta não se tem folga. Viajar não é como trabalho, como dizem alguns viajantes. Viajar é mais desgastante do que um trabalho em condições normais. No trabalho se tem um ou dois dias de folga a cada semana. Numa viagem, a gente sente a obrigação de aproveitar todos os dias. E aí vem de vez em quando aquela estranha vontade de não fazer nada, mesmo em um país fascinante como o Irã.

Eu sucumbo à preguiça por um dia e decido passar esse sábado de manhã no hotel, organizando informações, lendo e vendo TV. A televisão iraniana é uma experiência à parte, com suas vinhetas em persa e com suas belas apresentadoras, que não usam apenas o lenço e o *roupush* permitidos na rua. Para dar o bom exemplo, elas usam o xador preto completo. A programação pode ser um pouco tétrica: em Ghazvin vi um programa de clips onde mães de mártires na guerra colocavam flores em homenagem aos filhos ao som de uma música fúnebre e com a imagem do imã Khomeini entre nuvens, olhando de turbante e olhos frios para os seus súditos na Terra. Há também muitos filmes curtos homenageando os mártires com imagens da guerra. É impressionante como a ideologia predominante aqui é onipresente. No antigo Leste Europeu era a luta de classes presente em todos os aspectos sociais. Aqui é a religião levada ao extremo. E o que mais incomoda é essa visão fatalista que remunera o sacrifício de vidas.

Mas nem tudo são sombras. A televisão tem uma programação variada que chega a ser divertida por algumas horas. De manhã cedo, por exemplo, há um programa de ginástica. Só que em vez das mulheres esculturais usando maiô que vemos no Ocidente, no Irã são soldados do exército, devidamente fardados, que colocam a população para malhar pela televisão; há programas com esportes de ação nos quais, como não daria para tocar o *muzak* religioso, eles acompanham as imagens de mountain bike, por exemplo, com uma música mais animada, mas que ainda está longe do rock ocidental; o noticiário internacional está bem presente com reportagens sobre a miséria na África e acontecimentos na Europa. As imagens são, no entanto, cuidadosamente escolhidas para que mulheres ocidentais não apareçam da forma como andam nas ruas da Europa. Então, ao noticiar eleições na Polônia, por exemplo, os canais iranianos escolhem imagens de homens votando ou de freiras, devidamente vestidas com o hábito.

Há também longas entrevistas com mulás discorrendo sobre a forma exata de se praticar o islamismo xiita. No noticiário nacional, imagens de desfiles oficiais presenciados pelos três homens fortes do país: o aiatolá Khamenei, o presidente Khatami e o ex-presidente Ali Akbar Hachemi Rafsanjani, hoje presidente da Assembléia Nacional.

Visito o bazar no final da tarde, uma imensa concentração de corredores e pequenas lojas. É também um local para se ver a variedade de etnias que habitam o Irã. No país, apenas cerca de 60% da população são de origem persa. Além deles há grupos com línguas e culturas próprias, como os azerbaijanos, os turcomenos e os curdos, no norte. O povo lor e os bakhtiaris vivem no centro e os balúchis no sudeste, entre outros grupos minoritários.

No bazar de Chiraz, eu encontro vários vendedores de traços mongóis, como os povos da Ásia Central, e penso que são turcomenos do norte do Irã. Mas um iraniano me garante que eles são usbeques, do Afeganistão, que estão como refugiados no país. Vejo também mulheres que por debaixo do xador preto usam calças de linho com presilhas douradas, como no subcontinente indiano. O bazar de Chiraz lembra o de Istambul por suas cores e pelo bom gosto das coisas que estão à venda.

Num país onde a música é desestimulada e oficialmente serve apenas para oração, é difícil se encontrar boas lojas de discos. Mas em Chiraz eu encontro uma decente. Aqui, Richard Cleyderman está acompanhado de outros nomes ocidentais: o saxofonista Kenny G e o grego Vangelis. Há também fitas com trilhas de filmes, algumas de filmes de Charles Chaplin. Mas o que domina mesmo é a espécie de new age fúnebre que se toca nas rádios e televisões do país. Procuro o tipo de música que quero sem encontrar, até que, em meu livrinho de frases, eu acho a palavra mágica: digo o equivalente em persa a "iranian folk dance". O dono da loja compreende o pedido e mostra uma infinidade de fitas de música folk que, por serem das minorias étnicas, escapam ao controle rigoroso da música pop moderna. Uso meus já experimentados dotes de barganha que venho aprendendo nesta viagem para comprar muito e pagar pouco.

À noite, já desgastado pela procura inútil de um restaurante decente na cidade, decido jantar no hotel mesmo, onde acabo sendo o único cliente. Quando o garçom percebe que tenho alguns cassetes comigo, pede para colocá-los no som. Três cozinheiros aparecem lá dos bastidores para ouvir o som e comentar. Não gosto da galinha que eles servem aqui, porque sempre vem com gosto forte de limão. Mas o que mais me incomoda é jantar sendo observado pelo garçom e pelos cozinheiros que, a cada nova música, fazem questão de sorrir para mim aprovando as minhas escolhas musicais no folclore iraniano. Na tentativa de agradar, eles podem ser bem chatos.

Em apenas uma hora andando pelo centro de Chiraz eu anotei as seguintes aproximações, todas em inglês compreensível:

Ao comprar um jornal numa banca, o velho jornaleiro pergunta:

— De onde você é? Ah, futebol, Ronaldo, Pelé...

Ao comprar uma garrafa de água mineral:

— É de onde? Ah, seja bem-vindo ao Irã.

Na sorveteria, o rapazinho dispara:

— Como é o seu nome? De onde você é? Qual a sua profissão?

Garoto que me aborda na frente de uma lanchonete vendendo hambúrguer:

— De onde é? Qual o seu nome? Quer um hambúrguer? Venha ao restaurante a qualquer hora, o que você quiser nós preparamos.

Um jovem guia turístico free-lance que encontro na rua:

— De onde você é? Ah, é o primeiro brasileiro que encontro por aqui. É mochileiro? Está hospedado onde? É muçulmano? Você tem barba de muçulmano.

Depois de vários dias seguindo para o sul, hoje é dia de rumarmos para o leste novamente, em direção a Kerman, passando pelas paisagens mais exuberantes de todo o Irã até agora. Depois de um grande lago azul à nossa esquerda, cruzamos as incríveis planícies de sal no meio das montanhas, tão claras e imensas que ficamos na dúvida se estávamos vendo realmente sal, ou se aquilo era neve, já que na área havia também montanhas com o topo nevado. A estrada estava deserta e era daquele tipo que parece que não vai levar a lugar nenhum.

Mais tarde, paramos em um restaurante de beira de estrada, mas um homem velho saiu rápido lá de dentro e disse que não tinha comida. Na segunda tentativa, almoçamos num precário restaurante de beira de estrada, galinha com arroz, na presença de um grande pôster de Ali. Agora já encontramos as primeiras pessoas usando trajes do subcontinente indiano e até alguns poucos turbantes.

No fim da tarde chegamos a Kerman, uma cidade de história turbulenta que viveu muitas ocupações durante dois mil anos de invasões. Hoje vive da confecção de carpetes. No hotel de Kerman somos recebidos como nobres, com os gerentes na frente dando as boas-vindas e oferecendo copinhos de chá, bolinhos e outras cortesias. À noite, no restaurante, encontramos um grupo de alemães de meia-idade. E entre eles, um velho suíço que se admira com o nosso roteiro. Ele está vindo do Usbequistão de carro e percorrendo todo o Irã. Aposentou-se e há oito anos viaja com a mulher de carro pelo mundo.

Táxi para a Praça dos Mártires no centro de Kerman. Quando a gente desce do carro e fica uns minutos decidindo aonde ir, rapidamente um grupo se forma à nossa volta, inclusive com uma senhora pedindo esmolas. Já percebemos que no Oriente é assim, quando se sai em grupo, não se tem descanso. Vou andar pelo antigo bazar sozinho e volto a pé para o hotel, caminhada que me toma toda a manhã. Um dos dois cinemas da cidade exibe *Salaam Cinema*, filme de Mohsen Makhmalbaf que fez sucesso nos festivais da Europa.

Ao meio-dia partimos para mais um trecho em direção ao leste. Depois de 35 quilômetros de estradas e paisagem verde, paramos em um complexo religioso da época safávida, na localidade de Mahun.

Conversando com um rapaz ao lado do caminhão, eu disse que era do Brasil. Usando muitos gestos, ele indica que "Brasil, Argentina e Canadá são amigos".

Mas para os norte-americanos:

— Ra-ta-ta-tá — e faz um gesto como se portasse uma metralhadora.

Nessa área os sentimentos políticos parecem ser mais acirrados. Ainda há pouco eu vi uma pintura em um muro de Kerman que mostrava crianças queimando uma bandeira de Israel. A doutrinação começa cedo.

Ainda em Mahun, acabamos descobrindo uma agradável casa de chá, que os iranianos chamam de *chay-khuné*. Em um jardim verde havia umas plataformas de madeira que se assemelham a camas sem colchão ou a mesas baixas. Tiramos os sapatos e subimos nestas plataformas, onde o chá é servido. Por debaixo delas passa a água de um pequeno riacho. No som, colocaram um disco com a suave música tradicional iraniana tocada em instrumentos de corda. Encontramos um australiano que estava vindo da Ásia Central e ficamos ali comentando as experiências no Irã. É nessas casas de chá que um forasteiro começa a perceber toda a elegância da cultura persa, o gosto sofisticado do chá, a delicadeza das xícaras com gravuras antigas, a música de tempos passados, livre de modismos, o bom gosto na decoração e o uso inteligente das escassas fontes de água para o prazer humano.

O sol se pondo dava ao Dasht-é Lut, o Grande Deserto de Areia iraniano, uma coloração muito bonita. A paisagem era diferente e cheia de curiosidades como, por exemplo, um vilarejo com casas de barro em forma de colmeia, com tetos arredondados. Tudo abandonado e em ruínas. Mas no som do caminhão, a essa altura da viagem, já rolava de tudo. Agora Ute apela para uma fita de Madonna. Quer dizer, a gente se embrenha pelo interior do Irã, depara-se com uma cultura sensacional dessas e ainda consegue ouvir... Madonna? É nestas horas que eu tenho vontade de pegar um trem local e tentar chegar ao Paquistão sozinho.

Chegamos a Bam já noite fechada e quando seguíamos por uma rodovia escura à procura de um hotel, Ute reduziu a velocidade numa barreira policial mas não parou o caminhão totalmente. Ouvimos uma pancada lá atrás e achamos que foi um dos guardas que atingiu a lataria com um soco. Será que eles vão nos parar lá na frente?

— Aqui eles não têm como se comunicar pelo rádio — disse Ute.

Ainda bem que ela não estava subestimando os policiais. Mas no hotel não havia vagas, e cruzamos novamente a barreira policial, voltando à cidade de Bam. Fomos dormir na casa de um iraniano chamado Akbar, que transformou sua residência numa hospedaria para mochileiros, uma das poucas nesta área do mundo. Akbar vai logo informando às meninas:

— Aqui vocês não precisam usar lenços e *roupush*.

Elas aceitam a proposta no mesmo instante. Mais tarde Akbar explicou que autoriza o fim do *hejab* dentro de sua casa, porque lá não entra nenhum iraniano além dele e da esposa (que por sinal usa um lenço no cabelo quando vem nos servir chá).

— Tenho a única hospedaria em todo o Irã onde isso é possível — conta orgulhoso de suas idéias ocidentalizadas.

Saímos de manhã cedo para visitar a cidade de barro de Bam, tendo como guia o próprio Akbar. Na entrada da cidade de barro, ele fecha os olhos, respira fundo e diz:

— Imaginem só como era esta cidade nos tempos áureos, quando milhares de pessoas moravam aqui.

E começa a discorrer sobre a história de Bam, cujo núcleo original foi erguido há cerca de 1.500 anos. O mais curioso é a mistura de capim, barro e tijolos que fez a cidade resistir durante tanto tempo até os dias de hoje. Mas a cidade antiga foi abandonada há 150 anos devido à falta de água. O local ficou abandonado até que em 1989, o então presidente do Irã, Hachemi Rafsanjani, visitou a área e decidiu determinar a sua preservação. Dentro das ruínas há um pequeno quiosque e também uma casa de chá muito agradável, onde uma moça diligente nos atende solitária.

Na saída da cidade de barro encontramos um grupo de rapazes da República Tcheca e uma garota muito bonita que estava vestida de forma mais conservadora do que as próprias iranianas de sua idade.

No centro da parte nova de Bam, tento comprar um caderno de anotações, algo talvez com a tradicional arte decorativa persa na capa. Não tem. Acabo levando, contra a vontade, um caderno em cuja capa está Mickey e na contracapa Minnie. Na papelaria, as pessoas me olham curiosas e uma mãe mostra ao filho o estrangeiro, explicando a ele algo em voz baixa. Ando pelas ruas de Bam de volta ao caminhão entre acenos, saudações e sorrisos, sobretudo de crianças que voltam de uma escola. É cansativa toda essa curiosidade. Mas é também muito divertido ser o centro de todas as atenções em um país desconhecido, uma experiência determinante da imagem que formamos do Irã.

Depois de Bam, as paisagens deixam de ser semi-áridas para serem verdadeiramente desérticas. Uma hora depois de deixarmos a cidade estávamos no meio do nada, quase nenhuma vegetação. Um vento quente entrava pelas janelas e a temperatura era de 39 graus. Quando entramos na província do Baluquistão iraniano, aparecem algumas montanhas. O Dasht-é Lut se estende para o norte desse território belo e árido. Estava escurecendo quando avistamos as primeiras luzes de Zahedan, nossa última parada no Irã.

Se Dogubayazit, na já distante Turquia, tinha um ar de fim de mundo, Zahedan tem um aspecto ainda mais ameaçador. É uma cidade maior e com uma antiga tradição de terra de ninguém, aquele tipo de lugar que nem os mais poderosos impérios conseguiram dominar totalmente. Ainda hoje grupos armados trocam tiros, e nosso livrinho recomenda que não saiamos do hotel à noite. Mas primeiro temos de encontrar o hotel.

As ruas de Zahedan estão cheias de homens, quase todos usando *shalwar qamiz*, o traje característico paquistanês. Essa roupa consiste em uma calça muito larga (*shalwar*) afunilada nos tornozelos. E uma túnica folgada (*qamiz*), de golas pequenas, que desce até os joelhos. Harry já vinha usando um *shalwar qamiz* há alguns dias e ao chegar em Zahedan sentia-se pela primeira vez em casa, como se estivesse encontrando velhos primos.

Zahedan fica a uns 70 quilômetros do Paquistão e também próxima do Afeganistão. A cidade é habitada em sua maioria pelo povo balúchi e está cheia de refugiados da guerra civil no Afeganistão. Depois de muito rodar, achamos o hotel que ia servir de abrigo para a noite. Pelo hotel circulavam figuras sensacionais, como num filme épico. Homens altos com longas barbas pretas, *shalwar qamiz* com coletes por cima e turbantes enormes enrolados sobre a cabeça com um pedaço de pano pendurado de um lado. Tinham a aparência de líderes dos *mujaheddin* que brigam entre si do outro lado da fronteira.

Há uma certa confusão na recepção do hotel, onde pouco se fala inglês. Até que um senhor calvo e bem-vestido se levanta decidido de uma poltrona no hall e pergunta qual é o problema. Ute explica o que quer e ele passa a dar ordens ríspidas em persa e os funcionários atendem diligentemente. Nada como falar com o gerente. Mas ao ouvir mais um pedido de nossa parte, o nosso gerente confessa, meio encabulado:

— Eu também sou hóspede aqui. Estou apenas tentando ajudar vocês.

Revelou ser um empresário de Teerã, em viagem de negócios àquela fronteira distante. Sabia exatamente o que estávamos sentindo. E nos ajudou novamente na hora do jantar, traduzindo o não muito grande cardápio para alguns de nós.

11 — Pelo Baluquistão

O CAMINHÃO LADEIA AS MONTANHAS QUE dividem o Irã do Afeganistão e segue em frente para a localidade de Mirjavé, onde há um posto de fronteira. A noite em Zahedan havia sido tranqüila, a passagem pelo Irã, muito interessante. Mas chegava a hora de mudar de freqüência mais uma vez. A passagem pelo lado iraniano da fronteira é rápida. Não há filas e contemplamos pela última vez nos pôsteres o olhar severo de Khomeini ao lado da simpatia contida de Ali Khamenei. Saímos pelos fundos da casa onde há o controle de passaportes e, passando por uma área vazia que mais parecia um quintal, cruzamos um portão e entramos em uma casa simples, onde já era território do Paquistão.

Um funcionário anota preguiçosamente nossos nomes e os números dos passaportes em um livro imenso em estilo antigo. Carimba os passaportes e nos deseja as boas-vindas ao Paquistão. Ficamos ali ainda umas duas horas esperando a liberação dos papéis do caminhão. Mas foi uma espera relaxada ao ponto de Celene se sentir livre para lavar as janelas do caminhão.

Quando finalmente cruzamos a fronteira, paramos no vilarejo de Taftan, onde fomos abordados por um bando de rapazes paquistaneses que queriam trocar dinheiro. Taftan é formada por casebres construídos no meio da areia, que dividem o espaço com uma mesquita pequena e alguns prédios administrativos. Ficamos lá apenas o tempo necessário para organizar a papelada e contar o novo dinheiro, as rupias paquistanesas. Antes de voltarmos à estrada, as meninas tiraram os lenços com alegria.

A antiga Rota da Seda para o Oriente não passava nesta região do mundo. A rota seguia do Irã em direção à Ásia Central, onde hoje fica o Usbequistão e daí em direção à China. Os hippies — que não poderiam entrar no ex-Usbequistão soviético nem na China — preferiam, por sua vez, cruzar o Afeganistão e passavam na cidade de Kandahar a caminho do Paquistão e da Índia. Mas o Afeganistão se encontra em guerra civil há quase 20 anos e seria impraticável cruzar o país nessa situação agora. Hoje em dia, então, sobra apenas uma rota para a Índia. É a estrada através da província paquistanesa do Baluquistão, uma das regiões mais inóspitas do planeta.

Pela província, passou Alexandre, o Grande, no ano de 330 a. C., na volta de sua campanha militar que o levou às portas da atual Índia. Mas nem ele conseguiu dominar o Baluquistão durante muito tempo. Aliás, ninguém até hoje conseguiu subjugar ao mesmo tempo todos os grupos étnicos e tribos que habitam estes desertos remotos encravados entre o Irã, o Mar das Arábias e o Afeganistão. Os ingleses, por exemplo, que dispunham já de meios de transporte modernos, dominaram todo o subcontinente, do Himalaia ao Ceilão (agora Sri Lanka), da Birmânia ao que é hoje o Paquistão. Mas mesmo eles consideravam o Baluquistão apenas como uma área "semi-ocupada" onde mantinham representantes somente para contrapor a influência russa no vizinho Afeganistão. Não contavam, entretanto, com a região como parte integrante da Índia britânica. Após a independência em 1947, os sucessivos governos do Paquistão também não conseguiram domar completamente a área, devido à complexa estrutura tribal que ainda permanece em vigor aqui.

Na parte mais ocidental do Baluquistão, a única estrada que segue de Taftan para o leste é precária, estreita, e a areia do deserto ocupa alguns trechos da pista. Passamos por umas poucas vilas de casas de barro, entre elas Yakmach, onde vimos apenas homens, todos de *shalwar qamiz* e usando também um chapeuzinho sem abas e adornado com pequenos espelhos, o que é típico do povo balúchi.

Chegamos a Dalbandin à noite, manejando o caminhão pela rua principal da cidade que também é a própria pista que corta a província. Fomos a uma hospedaria com aquela aparência dos hotéis coloniais construídos pelos ingleses nas primeiras décadas do século 20. Mas não havia vagas neste hotel e teríamos de dormir sob a estrelas. No entanto, o responsável pelo hotel, um tipo muito moreno, calado e gentil, usando um chapeuzinho de peles, acabou arranjando um quarto grande para todo mundo, sem água corrente, sem eletricidade, mas com telas nas janelas para evitar a entrada de mosquitos.

Harry e as meninas decidem fazer o jantar usando os mantimentos do caminhão, mas eu me mantive fora. Após tomar um banho retirando água de uma bacia com um caneco, sigo no escuro para o centro do vilarejo. Não há energia elétrica neste momento e apenas algumas lojas usam lampiões a gás. Entro em um pequeno restaurante à beira da estrada. A escuridão me protege da curiosidade dos nativos e eu peço galinha e Coca-Cola. A galinha à cabidela vem muito picante, como eu já temia.

Quando volto ao hotel, encontro Harry conversando com dois paquistaneses a quem sou apresentado. Dizem ser empresários de Quetta e estão de passagem pelo vilarejo. Oferecem qualquer tipo de ajuda:

— Vocês aqui são nossos hóspedes — dizem cordialmente.

Eu pergunto a que grupo étnico eles pertencem. Um deles diz firme:

— Somos originalmente do Punjab, mas não gostamos dessa história de grupos, de divisões. Somos apenas muçulmanos.

Antes de pegar a estrada no dia seguinte, tomamos chá verde ao lado do caminhão e conversamos rapidamente com um casal de franceses que estava seguindo a mesma rota, usando um furgão.

Nas poucas ruas de Dalbandin, um espetáculo maravilhoso de indumentárias exóticas. É a maior regressão histórica em termos de vestimentas de toda a viagem até agora. Cem por cento dos homens usam *shalwar qamiz* de cores variadas e os chapeuzinhos balúchi na cabeça. Os velhos cultivam longas barbas brancas. Os mais jovens também estão todos de barba. Alguns usam, sobre o chapéu, turbantes variados ou *kaffiehs* em formatos malucos. Outros, devido ainda ao frio da noite, usam uns lençóis claros em torno dos ombros. Não há nenhuma mulher na rua principal. Mas em alguns becos posso ver de relance grupos de mulheres cobertas com vestidos e lenços absurdamente coloridos em tonalidades de azul e de amarelo.

Alguns quilômetros depois de Dalbandin, paramos em Pishok, um vilarejo onde há as ruínas de uma antiga estação ferroviária construída pelos ingleses em 1901. Ao entrar na vila, nos deparamos com uma escola primária onde garotos de seis e sete anos assistiam a uma aula dentro de um casebre sem teto, olhando para um quadro negro.

A nossa presença interrompeu a aula. O professor veio nos explicar que se tratava de uma aula de alfabetização na língua urdu, o idioma nacional do Paquistão. O professor diz que, apesar de falarem diariamente o balúchi, as crianças da região aprendem desde cedo urdu, e mais tarde estudam também inglês.

Na casa vizinha estudam as meninas. Quando nos aproximamos, todas cobriram o rosto com as *dupatas*, os lenços leves coloridos usados sobre o cabelo e enrolados no pescoço. Apenas as meninas do nosso grupo foram convidadas a chegar mais perto. Todas as mulheres se mostram arredias a qualquer contato. O professor nos serviu de guia nas ruínas da estação ferroviária, enquanto mantinha um olho na garotada que comemorava o inesperado recreio.

Seguimos viagem ladeando pelo norte as montanhas de Ras Kuh que compõem um cenário muito bonito ao lado da estrada. Estamos agora já em pleno Baluquistão, terra de desertos e de conflitos tribais.

A parada para o almoço foi em Nushki, um outro vilarejo escondido ao lado da estrada. Ao sair do caminhão fomos acompanhados por um grande grupo de meninos. Achamos um restaurante no qual tudo era cozinhado na varanda, com vista para a rua. Pão *chapatti* — plano como uma pizza — sendo assado na hora, caldeirões com a comida local. Caminhamos descalços em direção às mesas lá de trás, onde as pessoas comem sentadas sobre tapetes no chão. A garotada foi impedida de entrar no restaurante atrás de nós, mas uma senhora velha que vinha mendigando conseguiu furar a barreira e entrou, sentando-se ao nosso lado, implorando por uma esmola. O garçom teve de arrastá-la para fora à força, deixando todo mundo constrangido.

O que comer no Paquistão? A preocupação é principalmente com o tempero apimentado e com a possibilidade de contrair uma diarréia, devido à água usada na comida. Tenho sempre a cautela de não arriscar na comida e pedir sempre o mais simples. Desta vez peço *dhal*, um preparado de lentilhas cozinhadas com um molho, acompanhado com pão *chapatti*. O *dhal* é muito gostoso, mas acaba sendo picante. Depois das primeiras mastigadas, a pimenta já invade o paladar de tal forma que nem a Coca-Cola parece ter gosto.

Depois do almoço, andando por Nushki, me dou conta de que sou o único homem em todo o Baluquistão usando roupas ocidentais, calça e camisa de manga comprida. E me sinto meio ridículo, sendo diferente de todo mundo. Tomo a decisão de comprar um *shalwar qamiz* quando chegar à primeira cidade grande.

As belas paisagens do Baluquistão se misturam à música pop ocidental de má qualidade que toca no som do caminhão. Tão longe da Europa, me pergunto por um instante qual deve ser o novo modismo musical em Londres. Mas para falar a verdade, neste momento, eu que me criei acompanhando a cultura pop, pareço não ter mais nenhum interesse nisso.

É impossível não se deixar levar pelo sentido de atemporalidade da cultura oriental: a tranqüilidade de uma casa de chá iraniana com a música folk tocada em exóticos instrumentos de cordas, o jorrar de águas por debaixo das mesas, a porcelana delicada; penso na beleza recatada das mulheres paquistanesas que vi hoje de manhã, na simpatia dos homens com sorrisos de quem quer apenas ser gentil. Fico observando a elegância do vestuário nessa parte do mundo onde a palavra moda não faz nenhum sentido. Perto de tudo isso, a cultura ocidental, com seus modismos e com sua orientação comercial, me parece incrivelmente fútil, passageira e pobre. Chega a ser vulgar mesmo. A impressão é reforçada ao observar o comportamento dos companheiros de viagem. Demonstram respeito por tudo que vêem, mas ao mesmo tempo não se incomodam em ouvir Brian Adams no som do caminhão.

O caminho até Quetta foi longo e com muitos sacolejos. A chegada à cidade superou todas as nossas experiências com o fenômeno do caos urbano. Os subúrbios de Quetta nos deram a primeira imagem do que é o subcontinente indiano, com ruas apinhadas de gente, ônibus superlotados com homens viajando no teto, carroças de boi transportando cargas e pessoas e os riquixás motorizados, este curioso e ousado veículo de três rodas.

Havia sido um longo e duro dia de viagem e merecíamos um hotel melhor. Ficamos no New Lourdes Hotel, uma grande casa com um imenso gramado na frente, onde havia cadeiras para os hóspedes relaxarem. As portas dos quartos eram trancadas com grandes trincos, um estilo rústico mas até aconchegante. O hotel sobreviveu a um terremoto em 1935 e hoje é um dos poucos exemplos do urbanismo deixado pelos ingleses na cidade. Jantamos à noite com o mesmo casal de franceses que havíamos encontrado na parada anterior, mapas na mesa para planejar os próximos passos.

É na cidade de Quetta que se pode observar toda a tensão política que marca a vida cotidiana no Baluquistão. Após o fim do domínio britânico no subcontinente, em 1947, houve um movimento pela independência da província. No entanto, a falta de um consenso entre os grupos e chefes tribais que controlavam a região impediu a formação de um movimento unificado. Atualmente, do ponto de vista formal, o governo paquistanês manda na região. Mas na prática, são os chefes de clãs e de tribos ligadas aos grupos étnicos que controlam de fato a situação na província.

Dentro deste contexto, Quetta, a capital do Baluquistão, é uma cidade tensa. Com cerca de 350 mil habitantes, a cidade concentra principalmente gente do grupo étnico pashtun, mas também um número expressivo de balúchis e brahuis. Cada grupo, por sua vez, se divide em tribos e clãs, muitas vezes rivais entre si.

Os chefes das tribos exercem o poder através das armas e com freqüência se recusam a respeitar as decisões da administração da província ou do governo central paquistanês. No meio de uma região tão remota, longe da chamada "civilização", as determinações de Islamabad, recebidas por outros grupos étnicos, em outras línguas, parecem vir do espaço.

Viajar no Baluquistão não é para muitos. As informações oficiais são de que, fora de Quetta, estrangeiros têm de ter uma escolta armada autorizada pelos líderes tribais. E muitas vezes há toques de recolher que duram até 24 horas.

Em Quetta, a proximidade com o Afeganistão não ajuda em nada. Nos últimos 20 anos, a cidade inchou com milhares de refugiados da guerra. Muitos deles vivem em imensos agrupamentos de refugiados em tendas na periferia da cidade, sobrevivendo com a ajuda de organizações internacionais. No centro da cidade, pouco se vê de traços do colonialismo inglês. Quetta parece mais com uma versão moderna de *As mil e uma noites*, onde o sabre foi substituído pela metralhadora e os camelos por pickups modernas com as quais os chefes tribais se deslocam velozmente, protegidos por escoltas armadas.

Em um banco aonde vou trocar dinheiro, sou atendido com morosidade enquanto o funcionário utiliza-se de grandes carimbos, assinaturas e preenche formulários a mão, como no Brasil dos anos 50. Depois fornecem uma ficha para que eu retire o dinheiro no caixa. No bazar, um show de vestimentas e de tipos humanos. Entre os afeganes que imigraram para a cidade estão os haizaras e os uzbeques. Estes últimos têm uma aparência mongol que contrasta totalmente com os morenos balúchis e com os pashtuns de feições mediterrâneas.

O jornal *The Balochistan Times*, de Quetta, informou ontem que o rali Pequim-Paris cruzou a fronteira da China com o Paquistão, vindo em direção ao Ocidente. Os carros foram recebidos com festa. Não imaginava eu que também nosso caminhão estava prestes a entrar numa espécie de rali pelos próximos dias, experimentando as estradas do Paquistão.

Nosso objetivo é chegar a Peshawar, outra cidade caótica como Quetta, mas capital da Província da Fronteira Noroeste, também fronteira com o Afeganistão. Mas para chegar a Peshawar pelo caminho mais curto teríamos de percorrer uma rota que passa entre as Montanhas de Suleimann e o Desfiladeiro de Toba Kakar, com estradas muito precárias. Provavelmente precisaríamos de permissão especial para cruzar áreas tribais ainda mais problemáticas do que as do Baluquistão. Harry e Ute optaram, então, por um caminho que seria mais longo, porém menos complicado. Iríamos descer até a cidade de Sukkur, no estado do

Sind, e depois subir em direção ao Punjab e à Província da Fronteira Noroeste, evitando as áreas tribais.

Saímos de Quetta bem cedo, prevendo um dia difícil. Eu estava metido em um *shalwar qamiz*. Havia uma leve sensação de estar vestindo uma pijama em plena luz do dia, mas eu me sentia agora muito mais à vontade, mais integrado à paisagem. Nos arredores da cidade havia campos enormes de refugiados afeganes, onde mulheres trabalham elaborando cestas de palha. Às vezes, a confusão chegava a ser cômica. Numa avenida movimentada, um açougueiro eventual destrinchava um carneiro morto que estava pendurado em um varal.

Passamos pelo Desfiladeiro de Bolan, uma área em que os ingleses construíram estradas, túneis, pontes, tudo hoje em estado lamentável. Quando descemos o Bolan, passamos a transitar numa planície desértica com muitos camelos. A partir desse momento, começamos a ver com mais freqüência um tipo de cama feita de cordas amarradas a uma estrutura de madeira, sem colchão, colocada na frente dos restaurantes de beira de estrada. Os paquistaneses chamam essas camas de *charpoi* e as utilizam para sentar e conversar durante as refeições e depois para tirar uma soneca, ali fora mesmo, deitados sobre o forro de cordas.

Paramos para almoçar num restaurante à beira da estrada e quando estávamos já nos acomodando numas camas *charpoi*, o garçom veio e fez questão de nos levar a outro ambiente, onde havia uma série de pequenas salas. Dentro de uma das salas havia uma grande mesa, cadeiras e até um banheiro privativo. Compreendemos, então, que este era o ambiente reservado às famílias. No interior do Paquistão, mulheres não podem comer em público à vista de homens que não sejam da família. O salão comum do restaurante fica então somente para homens sozinhos.

— Mas a gente quer ficar junto de todo mundo — protestou Ute.

Não adiantou. Almoçamos *dhal* com pão *chapatti* e refrigerantes, segregados numa sala que, apesar de um pouco suja e das moscas, era um luxo para os padrões locais.

Depois do deserto, cruzamos dois canais e a paisagem se tornou ainda mais plana e agora muito verde. Área de agricultura. O calor aumentou e a presença da água trouxe uma umidade sufocante com a qual não estávamos mais acostumados. Sempre achei que climas secos abrandam a sensação de pobreza e mais uma vez confirmei isso no Paquistão. Logo que começou esta área fértil, tudo parecia ficar mais pobre, chegando mesmo às margens da miséria.

A concentração populacional aumentava também de forma acentuada. Quando atravessamos a cidade de Jacobabad, no final da tarde, temi que a coisa fugisse ao nosso controle e fôssemos engolidos pelo caos urbano de gente, animais, carros, riquixás, e pela atenção que despertava nos homens o fato de Ute estar dirigindo o caminhão. A paisagem foi ficando cada vez mais parecida com a Ásia que vira nos filmes, com búfalos-d'água chafurdando em pântanos, plantações de arroz, homens de saiote e sem camisa. Alguns usavam turbantes em cores pastel. Em traje ocidental nessa área, apenas os policiais. Já escuro, chegamos em Sukkur, na província de Sind, e nos registramos em um hotel razoável com um restaurante muito bom.

12 — Caminhões, sorrisos e balas

Sukkur ainda acordava preguiçosamente para mais um dia de calor úmido, sujeira e pobreza, e nós já estávamos percorrendo o centro da cidade. Saímos às 6h45 em busca de uma ponte de onde teríamos uma visão do Rio Indo, que passa na região. A caminho da ponte, um espetáculo de pobreza que parecia confirmar as piores imagens que se tem do subcontinente. População de pele muito morena habitando casas antigas que mais parecem cortiços; nas ruas, muitas vacas e búfalos chafurdando no lixo e na lama; homens ainda deitados em camas nas calçadas onde parecem ter passado a noite e não ter nenhuma disposição para o novo dia. Sobre a ponte passa um grande grupo de mulheres coloridas com muitos brincos nas orelhas. Elas olham para o caminhão sérias, como se estivessem a nos repreender porque a nossa presença ali aumenta o engarrafamento de trânsito no local.

"Se você e sua escolta armada chegarem a Sukkur", diz o guia de viagens *Lonely Planet*, "é um local de interesse devido ao papel que desempenha na irrigação". Mais adiante, o livrinho diz que os *daicots*, os assaltantes das estradas paquistanesas, atuam mais em torno da cidade do que em outras partes do estado de Sind. Informações não muito animadoras para quem está saindo de Sukkur e tem um longo caminho até a próxima parada noturna.

Na saída da cidade, passamos por cima da Barragem de Sukkur, uma grande obra de engenharia construída entre 1923 e 1932 pelo governo colonial. A barragem faz parte de um projeto de irrigação que tornou férteis cerca de 2 milhões e 500 mil hectares. No Paquistão, é apresentado como o maior projeto de irrigação do mundo. Das águas represadas em Sukkur partem canais que irrigam todo o norte da província de Sind e sul do Punjab paquistanês. A irrigação transformou essa região no centro agrícola mais importante do país.

Nos arredores de Sukkur, a paisagem é muito plana e verde. No meio do capim estão palmeiras e coqueiros que dão uma imagem ainda mais tropical à região. Mesmo sendo uma área muçulmana, o calor abafado faz com que muitos homens vistam apenas um saiote, parecido com o sarongue do sudeste asiático. Muitos não usam nem camisas.

Ainda de manhã cedo, percebemos que não ia ser um dia fácil porque a quantidade de caminhões nas estradas era muito grande. O trânsito louco dos caminhões e as estradas esburacadas e estreitas tornavam a viagem muito desconfortável. Para trás ficaram as paisagens imensas da Turquia e do Irã que inebriavam os pensamentos. Aqui os olhos estão vidrados na estrada que nos ameaça a todo momento. Cada ultrapassagem é um risco. Mas temos de vencer os caminhões que se arrastam à nossa frente carregados de frutas. O motivo de tantos veículos nessas estradas é a grande produção agrícola da área que é levada ao resto do país por caminhões.

O estado de conservação das estradas é péssimo, para dizer o mínimo. Ute e Harry se debatem na cabine com mapas que indicam estradas inexistentes, ou que não indicam as estradas pelas quais estamos passando. Calculando a nossa velocidade média e a distância que ainda temos de percorrer, já cogitamos ter de acampar à noite. A idéia não entusiasma a ninguém porque — ao contrário do saudável clima do deserto — aquela paisagem molhada parecia um convite a mosquitos e a outros desconfortos. Para não falar na possibilidade de ataque dos *dacoits*.

Um atenuante para o desconforto das estradas, e para os terríveis engarrafamentos que às vezes nos detêm por mais de meia hora, é a aparência dos mesmos caminhões que nos causavam tantos problemas. O caminhão paquistanês é uma obra de arte por si só. Os motoristas não se contentam em ter uma cabine e uma carroceria em estilo antigo. Fazem questão de afixar uma infinidade de penduricalhos no caminhão, além de espelhos, desenhos e pinturas em cores berrantes. Diante de tantos enfeites, sobra pouco espaço no pára-brisa para que o motorista enxergue a estrada. E o espaço na cabine ainda é dividido entre o motorista e eventuais caroneiros. O sistema de transporte público no país é tão deficiente que os homens viajam como podem. Em cima de caminhões, dividindo a cabine com motoristas, em cima de ônibus. As cadeiras dos ônibus, apertadas e sujas, são reservadas às mulheres e crianças.

Superando as estradas, nós conseguimos chegar em Multan, já no estado do Punjab, às 9h30 da noite. Foram quase 15 horas de estradas ruins e sacolejos para percorrer 477 quilômetros. Multan é a maior cidade do sul do Punjab, e para achar o caminho do hotel, tivemos de contratar o serviço de um motorista de motorriquixá, que nos conduziu por mais de 15 minutos. Mas afinal temos um hotel para dormir. Na frente do Hotel Sindbad, há uma faixa dando as boas-vindas aos participantes do rali Pequim-Paris. Depois da viagem de hoje eu já me sinto como um participante do tal rali.

Há um ditado persa que diz que Multan é famosa por quatro coisas: calor, poeira, mendigos e cemitérios. Nenhuma delas dentro dos meus interesses, eu me sinto aliviado quando, após uma votação, decidimos cair fora dali bem cedo.

Sempre seguindo em direção norte, a nossa meta hoje é atingir a cidade de Mianwali, ainda no Punjab, a caminho da Província da Fronteira Noroeste. Parece mais uma etapa do rali imaginário ao qual nos submetemos. É a única forma de encarar os solavancos. Na saída de Multan, eu vejo pela primeira vez em vários dias casas que parecem de classe média. O que chama atenção no Paquistão não é propriamente a pobreza, mas a falta de classe média nos estados do Baluquistão, do Sind e agora no Punjab. Quase não há carros particulares nas ruas e estradas, poucos hotéis decentes, nenhum restaurante que parece ter mais de uma estrela. Tudo é pobre. Mas também tudo é colorido e folclórico.

As primeiras duas horas ao norte de Multan são de boas estradas e nós já nem acreditávamos que isso fosse possível neste país. Mas de repente a estrada acaba e seguimos por desvios de barro, lutando para não atolar.

Hoje, ela finalmente chegou. Ela, a mais temida inimiga dos viajantes no subcontinente indiano: a diarréia. O mal-estar me obriga a usar um banheiro de restaurante numa cidade fora do mapa. O banheiro fica nos fundos de um quintal. A porta é um pedaço de madeira solto, o sanitário é apenas um buraco no chão e o teto não existe, somente o sol escaldante. A caminho de tal desconforto, é inevitável que se repense as opções que a gente faz na vida, toda essa vida de viagens...

Mas de volta ao caminhão, já me sentindo melhor e de olho numa nova lata de refrigerante, começo a encarar o incidente como uma nova conquista. É como o mochileiro que pode dizer orgulhoso que veio ao subcontinente, pegou a doença, se curou e já está pronto para outra.

A estrada nos faz passar pelo centro de muitas cidades da região onde uma multidão de homens se comprimia em ruas estreitas, feiras, lojinhas e restaurantes com camas *charpoi* nas calçadas e todos — invariavelmente todos — os homens olhavam para o caminhão.

O Paquistão parece ser uma sociedade onde há uma separação quase total entre homens e mulheres. Separação infinitamente maior do que na Síria e no Irã. Aqui, não se vêem mulheres na rua, a educação é completamente separada, os casamentos arranjados. Não surpreende a alegria e encanto dos paquistaneses quando se deparam com o nosso caminhão onde três mulheres mostram os cabelos, o rosto, sorriem e acenam. Nessa etapa, Ute dirige pelo menos metade do tempo. Às vezes Harry vem para os bancos de trás para ler e uma das meninas vai lá para a frente acompanhar Ute. São duas mulheres ocidentais conduzindo um estranho veículo branco surgindo do nada, neste fim de mundo que é o interior do Paquistão. É divertido observar a reação dos paquistaneses ao ver a cena. Primeiro eles olham para o caminhão com uma cara de estranheza. Depois vêem que à direção estava um estrangeiro e que essa pessoa é ninguém menos do que... uma mulher! Os paquistaneses abrem um sorriso e fazem um gesto com a mão, como a peguntar:

"Por amor de Alá, o que vem a ser isso?"

Para completar a satisfação geral dos nativos, Ute e Louise acenam efusivamente. Eles não acreditam no que estão vendo.

Chegamos a Mianwali às 20h30. Foram mais 391 quilômetros em quase 14 horas. São já três dias de estradas infernais, acordando de madrugada e parando para dormir quando já é noite fechada. O clima entre nosso pequeno grupo nunca esteve tão carregado. Além das exigências da estrada, já está claro que tomamos uma decisão errada. A viagem deveria ter sido de Quetta em direção à Província da Fronteira Noroeste pela montanha e não pelas planícies do Sind e do Punjab, como fizemos.

Em Mianwali encontramos apenas uma vila com um hotel, em que o banheiro tinha um odor forte de veneno contra insetos. No restaurante do hotel havia uma mesa onde homens armados com rifles conversavam, assistiam à televisão e esporadicamente olhavam em direção à nossa mesa. Ao sair, perguntaram se precisávamos de algo.

— Não, muito obrigado — agradecemos quase em uníssono.

Acordo com uma batida na porta. É um segurança dizendo que está indo embora e que já são 6h20.

— Ah, tá legal, pode ir.

Mas, afinal, o que é que eu tenho com isso? Mais tarde, Harry me explica que se trata de um guarda noturno que queria uma gorjeta por ter vigiado o caminhão durante a noite. Encontro uma barata pousada sobre minha mochila. A coisa está ficando realmente nojenta. A cada dia aumenta a sujeira dos hotéis, a falta de infra-estrutura, a precariedade geral. Bem que os livros me alertaram para a impossibilidade de se viajar pelo interior do Paquistão sem acabar parecendo um andarilho imundo.

Mas finalmente parece que teremos um dia prazeroso de viagem. O trecho até Kalabagh foi ruim, mas depois começamos a pegar estradas legais. Seguimos para o norte em direção à Província da Fronteira Noroeste (PFN) e entramos triunfalmente em Shakardara, uma cidadezinha perdida no seu caos matinal. Quando descemos do caminhão, após estacionar perto da feira livre, somos seguidos na rua por uma multidão de garotos, rapazes e homens. O povo tenta saciar a simples curiosidade de saber o que esses forasteiros estranhos estão fazendo aqui. É uma situação ridícula, mas ao mesmo tempo cômica.

Eu me desligo do resto do pessoal para evitar o tumulto maior e vou caminhar sozinho.

— Olá! Venha! Entre! Seja bem-vindo! — grita de dentro de uma farmácia um sujeito de bata branca.

Entro e encontro Said Rahman, um farmacêutico letrado que me pergunta logo o que quero beber. Manda buscar uma Pepsi, me faz as perguntas costumeiras e dá as boas-vindas formais à Província da Fronteira Noroeste, a terra do povo pathan. Said viu passar o caminhão e estava só esperando a oportunidade de falar com o primeiro estrangeiro que entrasse na sua rua.

Um garoto de farda escolar me olha curioso lá da entrada da farmácia:

— Ah! Angriz! — diz ele sorrindo, antes de correr de volta para a rua.

Angriz é a palavra na língua pashto que significa inglês. Para o povo simples do interior, qualquer ocidental aqui é inglês.

Os pathans são um povo de aparência quase semelhante aos latinos. Há estudiosos que afirmam que esse grupo étnico imigrou da Ásia Central em direção ao Paquistão no passado e aí se estabeleceu. Outros vão mais longe e afirmam que eles seriam uma das tribos de Israel, de que fala o Antigo Testamento. Além de serem maioria na PFN, os pathans predominam também nas áreas adjacentes do Afeganistão. O povo se divide em dois ramos principais: os pukhtuns e os pashtuns, que são mais numerosos e acabam dando o nome geral à etnia, já que pouca gente se refere a eles como pathans.

Antes de Said, havíamos encontrado nas estradas do Punjab alguns caminhoneiros pashtuns. Todos muito gentis. Na verdade, os pashtuns são mesmo conhecidos pelo *pashtunwali*, os quatro preceitos que regulamentam as relações sociais entre eles. Esse código moral consiste da *melmastia* (hospitalidade sem limites que vem acima de tudo); *badal* (a obrigação de revidar um insulto ou injustiça cometida contra o indivíduo ou sua tribo); *nanwatai* (a submissão ao vitorioso após uma disputa); e a *nang* (obrigação de defender a honra, sobretudo das mulheres). Desnecessário dizer que até agora experimentamos apenas a hospitalidade deste povo e rezamos para que assim aconteça até o fim.

Depois da confusão causada na cidade pashtun pela nossa presença, seguimos viagem pelo Desfiladeiro de Kohat. Neste trecho da viagem, acenamos tão freqüentemente das janelas do caminhão para retribuir os acenos simpáticos do povo local, que eu chego a pensar que nem mesmo os três astronautas que foram à Lua tiveram de acenar na mesma proporção ao desfilar em carro aberto em Nova York, na festa do retorno. Os acenos durante a viagem pelo Paquistão são também uma forma de brincar com as pessoas que nos vêem passar e servem para desarmar qualquer eventual resistência à nossa presença naquele território.

Mas para chegar a Peshawar, teremos de passar na primeira área oficialmente tribal do Paquistão, onde talvez seja preciso mais do que simpatia. Essas áreas foram estabelecidas devido ao espírito independente do povo pashtun. Em 1901, os ingleses criaram um sistema de sete áreas tribais que margeiam a fronteira com o Afeganistão para acomodar os pashtuns que ainda viviam ligados à estrutura tribal. Ainda hoje, nesta região, o governo paquistanês pouco interfere. As áreas são virtualmente controladas pelos chefes tribais e pela lei das armas. Teoricamente, os estrangeiros não podem entrar sem permissão. Hoje, temos de cruzar de toda forma um pequeno trecho que é área da tribo Afridi.

Nesta área fica a cidade de Darra, um vilarejo onde todas as casas e lojas são, na verdade, fábricas de armamentos, dos mais simples aos mais sofisticados. Os pashtuns desenvolveram ao longo das últimas décadas uma grande habilidade de copiar as mais sofisticadas armas produzidas no Ocidente. Conta-se que, em dez dias, os artesãos de Darra são capazes de descobrir todo o mecanismo de um rifle AK-47, por exemplo, e fazer um igualzinho. Uma vez feita a primeira cópia, as outras são produzidas em menos de três dias. Com cerca de 40 mil pessoas trabalhando na fabricação de armas, estima-se que a produção fique entre 400 e 700 armas por dia. Armas que são usadas na guerra do Afeganistão e nos conflitos tribais em toda a área da PFN.

Cruzamos o centro de Darra ao som de disparos. Nada a estranhar. Os consumidores de armas testam livremente os produtos nos céus do vilarejo. É o tipo de situação onde, para achar um pouco de segurança, a gente tem de se convencer de que aqui a ordem das coisas é bem diferente. Ninguém atiraria num caminhão pacífico como o nosso. Pelo menos é o que eu espero.

Chegamos a Peshawar no final da tarde. Foram quatro dias de viagem desde Quetta. Merecemos algum descanso, coisa que o precário Galaxie Hotel, localizado numa rua barulhenta e enlameada, promete não nos dar. É aquele tipo de hotel cuja porta do quarto dá para um corredor aberto para um pátio interno.

Acordei no meio da noite com o mundo se acabando. A porta do quarto sacolejava como se estivesse sendo bombardeada e um barulho ensurdecedor dominava a noite. Levantei-me atordoado e fui até a porta. Quando abri, pude perceber que estava havendo uma tempestade de granizo, com relâmpagos e trovões fortes. O barulho era provocado pelas pedras de gelo que atingiam a porta com força. No dia seguinte nos informariam que aquela havia sido a segunda vez que caía uma tempestade do tipo nos últimos cem anos na região. Como se não bastassem as emoções fortes da rotina paquistanesa, uma tempestade para animar a noite.

A vulnerabilidade do hotel durante a tempestade foi a gota d'água — sem trocadilhos. Decidimos mudar para o hotel da frente, o Hidayat, mais caro, mas bem mais limpo e agradável. Hoje é o dia de conhecer Peshawar, e parece que a cidade é movimentada. Da área onde fica o hotel, perto do antigo Cinema Fardous, ouvimos de manhã cedo um barulho constante de gritos. Era como se uma turba de 50 mil loucos estivesse saqueando uma feira livre. Nada de errado, porém, está acontecendo. Esse é o barulho normal de Peshawar, esta cidade de 2 milhões de habitantes que vamos enfrentar agora.

Seguimos para o centro de motorriquixá, experimentando pela primeira vez as peripécias deste veículo típico de algumas regiões da Ásia. Trata-se do riquixá tradicional, só que puxado por uma motocicleta. O motorriquixá vem a ser um carrinho de três rodas. Uma moto na frente puxa uma estrutura de duas rodas na qual se apóia um banco para dois passageiros. A geringonça é coberta por uma capota de flandre, lona ou plástico.

Acrescente-se a isso o *wallah*. A palavra é usada para descrever qualquer profissional que trabalha no setor de serviços, conduzindo veículos, lavando roupa nos hotéis, quebrando pequenos galhos. É no setor de transportes que não tem como se evitar os *wallahs* do subcontinente.

O procedimento é o seguinte: depois de combinar o preço com o *wallah*, o passageiro senta no banco traseiro, escondido pela cobertura de lona e segura-se bem, enquanto o motorriquixá literalmente mergulha no trânsito caótico, dentro da teoria do "vai que dá". É aterrador perceber que o motorriquixá tem a mesma altura das rodas dos grandes caminhões. Isso significa que o passageiro iniciante vê de perto a possibilidade de ir parar perto daquelas rodas ameaçadoras. Enquanto vai se agarrando para não voar nas curvas fechadas e velozes, o passageiro também recebe de frente as descargas dos canos de escape dos veículos grandes. Não há regras nem sinalização. Apenas ousadia e sorte. E no fim acaba dando certo. Como por milagre, aquele frágil veículo não é triturado pelos ônibus, caminhões, camelos, cavalos, búfalos e bicicletas que enchem as ruas de Peshawar.

Em minutos estamos no Hotel Spogmay, que se tornaria o centro de nossas atividades na cidade, ponto de encontro e base de compras e restaurantes. No Spogmay encontramos Khalid Sultan, um senhor de 60 anos vestido todo de branco, com bigodinho grisalho e aquele ar digno dos paquistaneses que admiram o Ocidente. Sultan seria nosso guia pelos becos de Peshawar e pelo Desfiladeiro de Khyber, que tentaríamos percorrer no dia seguinte.

Primeiro nos leva ao bazar, onde vemos uma infinidade de curiosidades. O bazar é um exercício de túnel do tempo. No setor de venda de alimentos, o colorido das lojas fica por conta de amendoins, pipocas feitas de grão-de-bico, ameixas secas, uma espécie de rapadura nordestina, pimentas pretas, um pó comestível feito de açúcar com farinha. Há tantas coisas estranhas que eu me sinto como se estivesse em outro planeta percorrendo o mercado local pela primeira vez e me surpreendendo com os produtos à venda.

Passamos em lojas de tapetes onde Louise e Celene experimentaram umas *burqas*, um traje usado pelas mulheres muçulmanas mais radicais e que se tornou obrigatório quando as milícias do Taleban tomaram o poder no Afeganistão. A *burqa* é um manto que cobre a mulher da cabeça aos pés. Mas, ao contrário do xador iraniano, a *burqa* não deixa o rosto à mostra. A mulher enxerga o caminho através de uma pequena rede colocada à altura dos olhos. Mas, a abertura não permite que as pessoas vejam os olhos da mulher.

No bazar das mulheres, ao lado das *burqas* estão novamente à venda os mais belos e coloridos vestidos femininos, usados apenas na intimidade. E belas mulheres fazendo compras, vestindo *shalwar qamiz* e lenços coloridos. Pela primeira vez vemos mulheres em quantidade no Paquistão.

O centro da cidade é um emaranhado de ruelas repletas de mesquitas e caravançarás, muitos hoje transformados em pontos de trabalho para artesãos e comerciantes. Peshawar era a principal parada na antiga rota que ligava a Ásia Central até a Índia e chegou a ter 400 caravançarás ao mesmo tempo.

Os tipos humanos que circulam nessa cidade desafiam a imaginação mais fértil. Além das *burqas*, há mulheres e crianças com os rostos à mostra que usam uma forte maquiagem preta ao redor dos olhos, para se proteger dos maus espíritos, segundo uma superstição local. Muitos homens de meia-idade raspam a cabeça e mantêm a barba longa. Outros, apesar da pele morena, pintam de loiro a barba e o cabelo usando um preparado de hena. Sultan nos explica que a pintura do cabelo, pelo menos uma vez na vida, é parte da tradição islâmica no Paquistão.

Sem a companhia de Sultan, passo a tarde imerso no caos que é o centro antigo da cidade. Saio com um mapa, mas, cinco minutos depois de deixar o Spogmay, eu já estou perdido. A confusão urbana é tamanha que não há condição de se seguir mapas, olhar nomes de ruas. Além do mais, os sentidos são estimulados a todo momento e a concentração desviada para cheiros estranhos, perigos inesperados e pelo clima quase psicodélico que domina a vida na cidade. Em Peshawar, a exuberância é tanta que até os cavalos, que circulam pelo centro puxando carroças, usam faixas coloridas na cabeça, talvez seguindo o exemplo dos caminhões enfeitados.

À noite, jantamos com Sultan em um restaurante afegão de propriedade de um dari, onde nos servem salada, batatas e arroz com passas. Os daris formam um outro grupo étnico do Afeganistão que imigrou em massa para a região de Peshawar. Encerramos a noite numa loja de carpetes, também pertencente a uns daris, dentro do Hotel Spogmay. Um grupo de refugiados preparou uma noite especial para uns poucos estrangeiros. Chá verde e música ao vivo tocada em uma tabla e em um *rubal*, instrumento de corda parecido com um alaúde. O dono da loja se revela um *freak*: mesmo de barba longa e quepe islâmico, levanta-se para dançar ao som da música hipnótica, rodopiando de olhos fechados. Eu fico imaginando como um país como o Paquistão seria psicodélico, se não fosse a presença do islamismo.

Sentados nos tapetes e encostados na parede estão alguns estrangeiros, relaxando na tranqüilidade daquela lojinha, isolados do caos urbano e do calor do dia que passou. Entre eles, um japonês de Niigata. Conversávamos sobre viagens pela Ásia. O japonês parece meio chapado e se limita a dizer:

— Yeah, man! This is great! — e sorri bastante.

O norte-americano que estava com ele é do Arizona, mas há anos mora na Indonésia e percorre a Ásia em busca de artesanato para revender nos EUA.

Quando eu disse que ia para Kathmandu, ele me animou ainda mais:
— Ah, cara, Kathmandu é legal, é como um circo!

Para obter a permissão para visitar o Desfiladeiro de Khyber e a fronteira com o Afeganistão, temos de ir ao Órgão de Assuntos Tribais do governo provincial. A sede da entidade fica na área do acantonamento de Peshawar. Como em todo o subcontinente, a área do acantonamento é um bairro construído pelos ingleses com ruas largas e arborizadas, mansões do começo do século. Era desses acantonamentos que os ingleses administravam o Paquistão e a Índia. Hoje, esses bairros são ocupados pelas autoridades civis e pelos militares paquistaneses e são os únicos lugares onde não se vê o tumulto medieval que domina o centro das cidades.

A permissão é concedida rapidamente e logo se aproxima do caminhão a nossa escolta armada. Dois guardas da tribo pashtun dos Afridi que vão nos acompanhar até a fronteira para garantir que nada de errado aconteça com os ocupantes do caminhão. Os dois portam rifles automáticos, usam calças apertadas, boinas pretas e bigodes.

Na saída de Peshawar, rumo ao oeste, passamos pela área conhecida como Cidade Universitária, construída após a independência. Hoje, é essa área que concentra os grandes campos de refugiados do Afeganistão, e há também um imenso bazar moderno onde se encontra todo tipo de eletrodoméstico e quinquilharias. São produtos contrabandeados para o Paquistão pelos refugiados. Depois de cruzar algumas barreiras policiais, entramos em território tribal. A nossa escolta acena para os guardas tribais para indicar que está tudo bem com o caminhão e que temos autorização para entrar na área.

O Desfiladeiro de Khyber é uma cadeia de montanhas que ocupa um trecho da Província da Fronteira Noroeste e do leste do Afeganistão. A área serviu de corredor no passado entre a Ásia Central e a Índia. Neste século, o desfiladeiro foi de importância estratégica para os ingleses na defesa do Paquistão contra os russos, que chegaram até o Afeganistão. Durante a Segunda Guerra Mundial, as tropas britânicas temiam que — derrotando os soviéticos — os nazistas pudessem utilizar o Khyber para invadir a Índia. Por isso, ao longo dos anos foram erguidas várias fortificações militares nas montanhas. Em 1920, os britânicos construíram uma ferrovia ligando Peshawar à cidade de Landi Kotal, que fica perto da fronteira, mas ela foi fechada em 1985 devido à ameaça de sabotagem por parte dos líderes tribais e dos refugiados.

Em toda a área reina um clima de muita tensão. O caminhão não pode parar para fotos. Todos os nossos movimentos são controlados pelos seguranças. Sultan nos mostra duas mansões onde moram dois grandes chefes do contrabando e do tráfico de drogas na região. Uma das mansões, escondida por trás de um muro alto, tem, segundo Sultan, 150 quartos com o que há de mais luxuoso no mundo. Este chefão do tráfico chegou a dar no passado uma festa no casamento de uma filha para 1.500 convidados, festa que durou uma semana. Hoje, com a pressão norte-americana sobre o governo do Paquistão para reprimir o tráfico, o chefão tenta ser mais discreto.

Fomos até a barreira policial de Michni, que fica a alguns poucos quilômetros da fronteira afegane. Olhando através do desfiladeiro, o Afeganistão parece pacífico do outro lado. Neste momento, os combates maiores se travam no norte do país, entre as tropas do Taliban — que dominam o governo em Cabul — e duas facções de guerrilheiros *mujaheddin*, uma das quais já esteve no poder e foi deposta pelo Taliban.

Na fronteira, garotos vendem aos poucos visitantes notas do afegane, o dinheiro do Afeganistão, como suvenir. Tomamos chá com os guardas da fronteira sentados em camas *charpoi* e retornamos pela estrada que atravessa o Khyber de volta a Peshawar.

Uma das atrações de Peshawar são os cinemas que exibem nas fachadas enormes cartazes de filmes produzidos no Paquistão. Geralmente os cartazes mostram em tamanho exagerado pinturas dos personagens que dominam esses filmes e são uma atração à parte. A produção de filmes em língua pashto está centralizada em Lahore, mas o maior mercado consumidor deste tipo de filmes é mesmo Peshawar.

No centro da cidade há pelo menos cinco grandes cinemas. As salas são divididas de acordo com a língua dos filmes exibidos: alguns cinemas mostram apenas filmes em pashto, a língua dos pashtuns, majoritária em Peshawar. Outros cinemas exibem apenas em urdu — a língua nacional — e outros apenas filmes em "inglês" (isto é, filmes em qualquer língua estrangeira, geralmente subprodutos norte-americanos). A arquitetura dos cinemas é a tradicional, como nos bons tempos: grandes platéias, cadeiras também no primeiro andar, grandes telas, salão amplo na entrada, venda de bombons e refrigerantes. O público é totalmente masculino. Num país onde a televisão ainda é estatal e não se vêem mulheres nas ruas, o cinema ainda representa um escapismo barato para as massas. É uma das poucas oportunidades para um homem ver mulheres dançando e se contorcendo em poses "sensuais".

Resolvi compartilhar dessa experiência. No primeiro cinema de filmes em pashto acabei sendo barrado. O vendedor de ingressos não entendeu como um *angriz* pudesse querer ver um filme em língua pashto. Tentei explicar que era isso mesmo, mas não deu certo. Depois fiquei sabendo que este cinema pertencia ao líder nacionalista dos pashtuns.

No segundo cinema consegui entrar, depois de ser revistado na porta como todo mundo. A sessão começou com filmes publicitários. Um deles anunciava um xarope para crianças. Parecia propaganda dos anos 50 no Ocidente. Mas aqui isso não é *revival* estético, é o presente mesmo. O filme publicitário foi repetido três vezes consecutivas e chegou a arrancar vaias da platéia.

O filme principal era uma espécie de pornochanchada paquistanesa: números de dança intercalados por cenas de luta e violência, produto típico do cinema de massa no país. A estética desses filmes é a seu modo um campo fértil para teorizações a respeito da estética cinematográfica em geral: o filme é exibido em volume ensurdecedor; para acompanhar os diálogos há sempre um fundo musical com uma "música de suspense" executada também a todo volume, com ruídos e efeitos escolhidos aleatoriamente; os diálogos são exibidos também dessincronizados com a imagem; quando um personagem olha com ódio para outro, por exemplo, a sua expressão de canastrão é enfatizada por um *zoom* rápido e deselegante e por um efeito sonoro que consiste em um zumbido insuportável. Os efeitos contribuem para dar a esse cinema um caráter absurdo. Na falta de qualquer técnica de representação entre os "atores" e de recursos técnicos para o diretor, o cinema pashtun adotou como estética uma espécie de hiper-realismo brega ou um expressionismo da Boca do Lixo, uma linguagem revolucionária, sem precedentes. Visto com olhos ocidentais, é *trash* total.

Peshawar superou a imaginação mais delirante, mas é hora de prosseguir. Hoje o destino é Besham, no norte da PFN, onde vamos ter um gostinho da estrada de Karakoram. O dia de viagem se mostra um contraste com o que vimos até agora. Depois de superada a planície em torno de Peshawar, começamos a subir as montanhas e tudo muda quando chegamos ao Vale de Swat. O clima fica frio e ventilado, a paisagem com pinheiros e vegetação muito verde, a população cada vez mais branca e com traços ocidentais. A partir desse trecho até a fronteira com a China, o Paquistão é um mosaico de povos diferentes. Há dezenas de grupos étnicos, de origens diversas, que falam línguas completamente diferentes. Não muito longe daqui mora o povo Hunza, que — conta a lenda — vive onde foi o mitológico reino de Shangrilá. A região teria tido no passado as pessoas mais felizes do planeta que adotavam uma dieta baseada em frutas secas, principalmente o abricó, como fonte de alimentação. Vendo as belas montanhas do Desfiladeiro de Shangla e os pequenos córregos que cercam Besham, é fácil acreditar que a lenda tenha seu fundo de verdade.

Em Besham, pousamos em um hotel PDTC, gerido pela Empresa de Desenvolvimento de Turismo do Paquistão. Para um hotel estatal, estava muito bem conservado. Encontramos um grupo de holandeses que vinha de ônibus de Pequim em direção a Islamabad e parou ali para a noite.

No dia seguinte, partimos para o sul, pegando o primeiro trecho da estrada de Karakoram. Essa rodovia liga Rawalpindi, no Paquistão, à cidade de Kashagar, na China. Sua construção foi um dos maiores projetos rodoviários de todos os tempos. A Karakoram foi construída a partir dos anos 60 e concluída em 1980. É a estrada mais alta do mundo, percorrendo 1.200 quilômetros de montanhas.

A construção da estrada fez parte do jogo geopolítico da segunda metade do século XX. Vendo a Índia adotar uma economia estatizada e se aproximar da União Soviética, o Paquistão procurou uma superpotência à qual se aliar para se contrapor ao poderio indiano. Decidiu então iniciar uma aproximação com a China. E a estrada de Karakoram foi a forma de ligar os dois países e intensificar os contatos comerciais e militares.

Seguimos agora para o sul em direção a Rawalpindi, passando por vales cercados de montanhas com plantações de arroz. Ao contrário do resto do país, as crianças dessa área parecem meio agressivas e insistem que paremos o caminhão para que elas possam pedir canetas. Como não atendemos, elas chegam a jogar algumas pedras no veículo. Pedir canetas a estrangeiros parece ser o esporte nacional das crianças do Paquistão. Desde que entramos no país, temos visto crianças fazendo um sinal como se estivessem escrevendo com a mão direita sobre a mão esquerda.

— Eles querem meu endereço? — perguntou uma vez ingenuamente Louise, sem entender por que o sinal se repetia sempre.

Não, eles querem é sua caneta. Por algum motivo, os pedidos de canetas viraram tradição no subcontinente. A desculpa é que essas crianças pobres precisariam de material escolar para poder estudar — motivo digno que leva os estrangeiros a doarem canetas. Mas ultimamente têm circulado rumores de que há uma "máfia das canetas". As crianças passariam as canetas doadas a adultos, que as revenderiam no comércio.

No caminho em direção ao sul, voltamos à rotina de parar em restaurantes de péssima qualidade. Mas nesses lugares, em geral, o atendimento é tão simpático que nos faz esquecer toda a precariedade. São os lugares onde como galinha com pão ou um pouco de *dhal*, o preparado de lentilhas que sempre vem picante e me força a tomar pelo menos duas garrafas de refrigerante para poder agüentar o fogo na boca.

Estamos de volta ao Punjab, com suas planícies habitadas por uma população muito morena. As cidades voltam a ser insuportavelmente cheias de gente, coisa que não vimos nos dois dias percorrendo as montanhas do norte. A parada noturna foi em Rawalpindi, o centro militar do país. Os militares adotaram Rawalpindi como base de operações devido à sua proximidade estratégica com a região da Caxemira, cujo lado oeste é ocupado pelo Paquistão. O lado leste da Caxemira é ocupado pela Índia, e este tem sido atualmente o grande foco permanente de tensão entre os dois países.

Quando chegamos ao hotel, estava havendo uma festa de casamento de classe média, e havia homens com roupas ocidentais e mulheres sem lenço sobre o cabelo. Rawalpindi parece o local mais ocidentalizado do Paquistão até agora. Fui dar uma olhada no Hotel Pearl Intercontinental. Luxuoso como qualquer hotel cinco estrelas no Ocidente. Jantei num ótimo restaurante ali perto, cercado de famílias paquistanesas, mulheres sem lenço no cabelo, comida sem pimenta. São as contradições que começam a surgir no Paquistão.

A mentalidade do europeu alternativo é sempre procurar o exótico nos países pobres e desconhecer completamente o lado moderno. Apesar de compreensível, esse comportamento acaba criando uma lacuna séria na visão que se tem de um país. Meus companheiros de viagem não querem nem ouvir falar em Islamabad, a capital moderna do Paquistão. Eu discordo deles e faço questão de ir a uma cidade que, tenho certeza, vai me surpreender e ajudar a dar uma visão mais completa do país.

Alugo um carro com motorista e sigo rumo a Islamabad. No final dos anos 50, os paquistaneses chegaram a conclusão que à metrópole Karachi, no sul, estava congestionada demais para ser a capital e decidiram criar uma cidade do zero, no centro do país. A cidade ficaria também mais próxima da Caxemira. Oficialmente, Islamabad está em construção desde 1961, mas o que se vê na parte central é uma capital muito parecida com Brasília e completamente diferente do resto do Paquistão.

Aqui as ruas são largas e arborizadas, o trânsito é composto somente por carros que trafegam ordeiramente. Há palácios do Executivo, do Lesgilativo, do Judiciário; há ministérios, teatros, bancos. A avenida principal conhecida como Blue Area se assemelha muito à Esplanada dos Ministérios em Brasília.

É em Islamabad que se trava o jogo político da problemática democracia que vigora no Paquistão. Foi daqui que Benazir Bhuto encantou o mundo com seu charme de primeira-ministra para depois se envolver numa sucessão de escândalos sobre corrupção generalizada no seu governo. Hoje Benazir é uma deputada da oposição em conflito com o primeiro-ministro Nawar Sharif, que também responde a inquérito sobre corrupção no governo.

Os fortes solavancos impediram qualquer tentativa de dormir na viagem de Rawalpindi até Lahore. Paramos para almoçar num restaurante e eu enfatizo que quero *"dhal* sem pimenta, sem tempero, sem *curry,* sem nada". Mesmo assim, a comida vem apimentada. Essa é uma característica dos garçons da região: eles sempre concordam com o que pedimos, mas nunca trazem o que queremos.

A densidade populacional aumenta dramaticamente nesta estrada. Para trás ficaram as paisagens solitárias do Baluquistão, onde a densidade é de menos de dez habitantes por quilômetro quadrado. No Punjab, o estado mais populoso do país, a densidade sobe para mais de quatrocentas pessoas por quilômetro quadrado. Parece não haver espaço para mais ninguém nessas ruas das cidades por onde passamos.

No final da tarde, chegamos finalmente a Lahore, nossa última parada no Paquistão, o centro cultural do país, o maior caos do planeta. O caminhão se meteu em um engarrafamento tão grande, numa perimetral que circunda o centro, que eu cheguei a pensar que nunca mais conseguiríamos sair dali. Não era um engarrafamento no estilo ocidental, no qual o veículo pára numa rua e tem de esperar o trânsito fluir. Aqui a confusão é provocada porque não há regras, todo mundo tenta passar ao mesmo tempo num cruzamento e a coisa embola de tal jeito que parece impossível desfazer o nó. E o pior: Harry percebeu que estávamos indo na direção errada e tentou sair da confusão em marcha a ré. Aos poucos fomos superando as bicicletas, riquixás, burros, cavalos, camelos, carros de boi, carroças puxadas a cavalos com homens em pé como se fossem bigas romanas, charretes tradicionais, tílburis, pedestres, motos, carros, ônibus, caminhões, tratores e tudo que se move sobre a face da Terra. Chegamos no Hotel Kashmir Palace, no começo da noite, quando uma fumaça espessa de poluição cobria a cidade.

Lahore tem pouco mais de 4 milhões de habitantes e é uma daquelas metrópoles sobre as quais os guias de viagem alertam contra todo tipo de perigos: o trânsito, a poluição, os batedores de carteira, os esquemas dos próprios hotéis para furtarem os hóspedes. O Paquistão é isso mesmo, esta mistura de perigos e deslumbramentos. Tenho somente um dia aqui e decido aproveitar ao máximo.

Metido num jeans e numa *qamiz* – o *shalwar* deixei na mochila porque não me parecia mais muito prático, devido à falta de bolsos seguros —, caí no centro da cidade. Andei rápido para evitar olhares e eventuais abordagens. Na principal avenida comercial da cidade, o Mall, passei na que é considerada a maior livraria do país, a Faroson's. Muitos livros sobre etnografia, política e história. É um daqueles locais onde tento lembrar vivamente do peso da mochila para controlar o bolso e não comprar mais livros.

Lahore se ilumina quando chego à MacLeod Road, área tradicional de cinemas. Passo por um Ritz decadente e sem grandes cartazes, um Moonlight com aparência de desativado e mais na frente uma coleção de prédios altos e conjugados com cartazes imensos na frente. Não consigo encontrar a entrada do cinema sob a marquise de cartazes. Mas do outro lado da rua, alguns cartazes chamam minha atenção e depois de alguns passos eu estou no centro da indústria cinematográfica paquistanesa. Os Estados Unidos têm Hollywood; Bombaim, na Índia, tem a sua Bollywood; e Lahore, no Paquistão, tem a sua Lollywood.

Nessas ruelas do centro de Lahore estão os escritórios das principais produtoras de filmes do país. É certo que Karachi centraliza a produção de filmes nas línguas balúchi e sindi, mas Lahore toma conta do principal, que são os filmes em pashto, punjabi e urdu — estes distribuídos para todo o país. São mais de 60 longa-metragens produzidos todos os anos.

Lollywood é uma festa de cores e cartazes. Parece uma mistura da Cinelândia com a Boca do Lixo dos bons tempos. Só que, no Paquistão, a palavra lixo tem um significado bem mais próximo à origem do termo. Os cartazes de cinema exibidos nessa área são de um tipo que não se faz mais no Ocidente. Bandidos com grandes bigodes e com metralhadoras enormes e caras de mau dividindo o espaço com odaliscas maravilhosas que fazem o papel de mocinhas, cobertas de jóias e vestidas com roupas de cetim azul ou amarelo, revelando seios fartos e formas sensuais. No cartaz, já estão claramente definidos os papéis: o moço bom injustiçado, o bandido ameaçador, a mocinha vítima, o pai vingador, a mãe sofredora, o primo covarde, o policial corrupto, o juiz digno.

No entanto, é um pouco mais além, na Abbot Road, que estão os grandes cinemas de Lahore, todos com painéis gigantescos na frente, reproduções dos pôsteres originais feitas manualmente. Os cinemas estão fechados e eu fico de voltar à noite.

No momento, o calor insuportável, a poluição e os cuidados para não ser atropelado por um motorriquixá desembestado me fazem querer algum abrigo. Durante o começo da tarde, acabo entrando numa Pizza Hut, que fica no Mall.

Apesar de encharcado de suor dos pés à cabeça, o simples fato de ter aparência ocidental me abre as portas. O gerente me recebe com um forte aperto de mão e salamaleques. Ao contrário da Europa, onde é um restaurante para o povão, a Pizza Hut no Paquistão é para uns poucos privilegiados. Os preços altos excluem a maioria. Lá dentro, somente paquistaneses privilegiados e estrangeiros atraídos pelo ar-condicionado e pela possibilidade de uma refeição sem pimenta.

O garçom é jovem, está aprendendo inglês, me fala longamente sobre o cinema paquistanês e acaba me convidando para conhecer a aldeia onde mora, fora de Lahore, na fronteira com a Índia. Fica para outra vez. Na saída, mais apertos de mão e perguntas sobre se eu havia gostado da comida.

A palavra Índia começa a aparecer com mais freqüência aqui e ali em Lahore. Afinal, estamos a apenas 25 quilômetros da fronteira entre os dois países. Na época colonial, Lahore era a capital de todo o Punjab, mas quando houve a separação da Índia em 1947 e a criação do Paquistão, a cidade ficou do lado de cá do mapa, concentrando a população muçulmana da região.

A presença inglesa aqui também é mais intensa em nomes de ruas e nos monumentos. Existe até uma rua Charing Cross, como em Londres. Evidentemente, os ingleses ocuparam com mais intensidade as partes acessíveis do subcontinente. Entre Peshawar e Lahore, por exemplo, claro que os colonialistas preferiam Lahore.

Caminho pelo bazar, onde novamente vejo mulheres. É a velha história no mundo islâmico: mulheres em quantidade somente no bazar, assim mesmo só no setor de roupas. Ando até o norte da cidade onde fica a Mesquita da Sexta-Feira, um belo monumento da arquitetura da época Mughal. Em uma praça da cidade velha, vejo pela primeira vez cenas de miséria total, gente vivendo no lixo de forma degradante.

A corrida de motorriquixá que faço da cidade velha até a área dos cinemas é absurdamente perigosa. Com o motor do veículo pipocando e soltando fumaça como um kart psicodélico, o *wallah* segue numa velocidade desvairada no meio do trânsito avassalador do final da tarde. O motorriquixá tira o maior fino em veículos semelhantes, dá um chega-pra-lá em bicicletas, disputa espaço com ônibus enormes e enfrenta com coragem caminhões que roncam a poucos metros do banco traseiro. Quando pago a corrida, o *wallah* maluco agradece e se despede com um aperto de mão.

No começo de noite estou na área dos cinemas, ávido para continuar minha apreciação bizarra da estética do filme pashtun. Informaram-me que o Ritz era "o lugar" para esses filmes na cidade. As fitas pashtun são freqüentadas também por paquistaneses que não entendem a língua — vão somente "ver as meninas". Pago 25 rupias para um sujeito que me olha meio estranho e entro no cinema. O Ritz fica num prédio moderno e de linhas retas. Mas do lado de dentro o estado da sala é deplorável. A impressão que dá é que houve um incêndio e que, como ninguém notou, continuaram exibindo os filmes normalmente. Sentado na única cadeira que não me parecia quebrada, vejo o cinema se encher de rapazes que gritam, fumam e cospem no chão.

A sessão começa com a audição do hino da República Islâmica do Paquistão, enquanto na tela uma bandeira do país é desfraldada. Todos se levantam e colocam a mão no coração. Depois vêm os comerciais retrô. Quando o filme começa, um lanterninha passa fiscalizando a postura de todos, um por um. Se notar algum movimento suspeito, coloca o marmanjo para fora do cinema. Há também, durante a sessão, uma fiscalização para ver se todo mundo está de posse de seu ingresso. Perto de onde eu estava, um sujeito foi expulso por não apresentar o ingresso.

O filme em si é mais uma produção nota zero que segue a mesma receita de violência e cenas de dança, onde as gordinhas de malha rebolam os quadris e os seios fartos, para delírio da rapaziada. Mais ou menos como o outro filme pashtun que eu havia visto em Peshawar.

O segundo filme da noite foi no Cinema Ratin, um filme em língua urdu chamado *Sangam* do diretor Syed Noor, que prometia ser "uma história de amor diferente". Neste cinema havia mulheres e famílias. Era outro nível de cinematografia: o melodrama musical se passa em Islamabad, entre a classe média urbana do país. Mesmo sem entender a língua, é muito fácil entender a trama: jovem bonito vive dentro de uma espécie de quarto esterilizado porque tem doença grave. Envolve-se com a médica que toma conta dele, para desespero da namorada. Filmado em cinemascope, o filme tem um bom nível técnico, com exceção do som que, por não ser direto, dá a impressão de que todos os personagens estão falando perto do microfone o tempo todo. Curioso como no filme — refletindo o hábito da classe privilegiada no país — os personagens soltam expressões em inglês como "excuse-me", "tank you" e "oh, my God", no meio dos diálogos em urdu.

Ainda há tempo para mais um filme, desta vez em língua punjabi. No Odeon estão passando uma fita chamada *Takar*. Cheguei já durante a projeção e perguntei se poderia comprar o ingresso. Informaram-me que a bilheteria estava fechada, mas se eu quisesse, poderia entrar assim mesmo, aparentemente sem pagar. Agradeci e entrei. Dez minutos depois, vejo o sujeito que estava na entrada passando pelas cadeiras como se estivesse procurando alguém, usando como iluminação um fósforo aceso que durava alguns segundos antes que ele tivesse de acender outro. Era difícil acreditar na situação. Mas depois de alguns minutos, ele voltou com outro funcionário, desta vez com uma lanterna, e acabaram me achando. Queriam mesmo me cobrar pelo ingresso. Não entendi por que não me cobraram logo na entrada. Mais tarde, vejo um desses sujeitos passando com uma bandeja com copinhos de chá. Parece então que o chá é servido dentro do cinema, se houver pedidos.

Ouve-se um tiro lá fora da sala de projeção. Será que é mais um dos conflitos religiosos do Paquistão, onde militantes islâmicos sunitas e xiitas resolvem as diferenças a bala? Estava difícil a concentração neste filme porque os acontecimentos no cinema se desenrolavam a todo momento. Na tela, o espetáculo é de muita violência. *Takar* é um faroeste de quinta categoria, mas com mulheres muito bonitas. É inacreditável como são belas as mulheres no cinema paquistanês. São geralmente do tipo de pele clara, nariz longo e afilado, cabelos escuros longos, e sempre usam belas roupas bordadas, jóias e uma *dupata* (o lenço fino paquistanês) que mais revela do que esconde os cabelos.

Mas o que marca o filme é a violência. Nas cenas de luta são usados recursos dos filmes de lutas chineses, pulos, saltos e gritos. O resultado, porém, parece mais longe da realidade e ainda mais ridículo. Requer uma dose de humor grande do espectador ocidental. O cinema paquistanês parece ser um bom retrato do país como um todo. É primário, é cafona, é perigoso, é muito divertido. Mas o Paquistão e o seu cinema não são chatos jamais.

13 — Luzes, cores, orações — a Índia

Q UANDO PARTIMOS EM DIREÇÃO À FRONTEIRA, olho Lahore pela janela do caminhão já com saudades do caos urbano, dos veículos malucos, dos ônibus nos quais os homens viajam no teto, dos maravilhosos caminhões. Paramos num subúrbio para comprar um pouco de comida e, ao voltar ao caminhão, alguns passantes estendem a mão para nos cumprimentar. Assim, sem mais nem menos, pelo simples fato de sermos de fora. O Paquistão certamente deixará saudades.

Uma planície com canais nos leva em apenas meia hora a Wagah, o único posto de fronteira onde é possível atravessar do Paquistão para a Índia. Uma casa colonial tranqüila aloja alguns poucos guardas da fronteira que, com a tranqüilidade de sempre, vão examinar os passaportes. O guarda que nos atende vai logo oferecendo cadeiras para todo mundo sentar e perguntando quem vai tomar chá com açúcar ou sem açúcar. Enquanto anota nossos dados num livrão de estilo antigo, pergunta se temos rupias paquistanesas para trocar por rupias indianas. Ele não tira os olhos dos passaportes e do livrão, enquanto vai negociando o câmbio.

Carimbados os passaportes, trocadas as moedas e tomado o chá, só nos resta esperar que o caminhão seja revistado pelos homens da alfândega para seguirmos para o lado indiano. Comparado com a confusão que reina no país, Wagah é um local quase bucólico. Sentamos em bancos numa espécie de parque e ficamos ouvindo passarinhos, observando os cachorros que se aproximam para brincar e a passagem de um ou outro mochileiro. É divertido observar como muitos paquistaneses não alteram o comportamento em situações formais e se mantêm relaxados e educados até em postos de fronteira como este. Mas a espera é longa. O caminhão é revistado com certa minúcia e somente depois de duas horas e meia somos liberados.

Ao meio-dia somos autorizados a prosseguir pela pequena estrada. Cruzamos uma cerca dupla de arame farpado onde havia guardas armados. Em seguida, um trecho de terra de ninguém, novamente uma cerca dupla de arame farpado, mais guardas armados e passamos para o lado da Índia.

A primeira coisa que vemos são centenas de homens andando em filas como formigas. São os carregadores que trabalham nesta fronteira. Nenhum veículo registrado no Paquistão pode entrar na Índia e nenhum veículo indiano pode entrar no Paquistão. Os caminhões que transportam mercadorias entre um país e outro são completamente descarregados na fronteira. Os pacotes são levados por carregadores paquistaneses usando um turbante vermelho até a fronteira real onde um carregador indiano, de turbante azul, recebe a encomenda e caminha com o pacote até um caminhão indiano que seguirá com a mercadoria. E vice-versa.

Do lado paquistanês os carregadores não são tão visíveis nesta manhã. Mas do lado indiano eles são centenas, todos controlados por guardas que usam uma vara de madeira para colocá-los na fila, se alguém ousar sair da ordem. A cena causa um impacto imediato porque contém os elementos que fazem da Índia um país meio épico: grandes populações, religiões, cores, violência. Os carregadores da fronteira nos dão a primeira lição sobre a Índia, lições que prometem se repetir em profusão daqui por diante.

Aqui estamos no centro de uma das grandes questões políticas do século XX: a divisão da Índia, a antiga colônia britânica, em dois Estados, duas unidades políticas: a Índia e o Paquistão. A fronteira de Wagah é o ponto exato da divisão, no centro do estado do Punjab. Foi por esta área que, em 1947, durante a divisão do país, passaram multidões de refugiados hindus em direção ao leste e multidões de muçulmanos se dirigindo ao Paquistão, que estava sendo criado como uma república islâmica. Calcula-se que cerca de 10 milhões de pessoas mudaram de lado e que pelo menos 250 mil foram massacradas. A região é tensa até hoje.

Mas o ponto de atrito hoje entre os dois países é a disputa pelo controle da província da Caxemira, localizada mais ao norte. Índia e Paquistão já entraram em guerra três vezes pela Caxemira. O noticiário sobre os conflitos na região domina o noticiário e a retórica dos governos. Os gastos militares são enormes. Os indianos acusam os paquistaneses de fornecerem armas para os rebeldes que lutam contra o domínio da Índia sobre a parte oriental da Caxemira. E há rumores de que armas para os rebeldes foram contrabandeadas por este posto de fronteira em Wagah, contrabando que teria sido praticado inclusive por viajantes ocidentais. Por isso, seremos alvo de uma investigação rigorosa por parte das autoridades indianas.

Estacionamos o caminhão num espaço livre. Não adianta ter pressa. A coisa promete ser demorada de qualquer forma. A primeira providência nossa é esvaziar o caminhão: tirar toda a bagagem, as tendas e o material de acampamento, as caixas com latas de refrigerante, os alimentos, os objetos de cozinha e as pesadíssimas caixas de ferramentas e peças de reposição. Eu não imaginava que carregávamos tanta coisa até chegar neste ponto da viagem.

Esquentamos água para o chá e passamos a esperar que os indianos venham para a fiscalização. Na mesma situação está um casal de holandeses. Viajam num carrinho Citroën antigo que não inspira confiança. Partiram da Holanda há quatro meses e percorreram mais ou menos a nossa rota. O holandês é convocado pelos indianos para levar o carro a uma oficina, onde o veículo vai ser observado de baixo para cima. A garota loira me fala do trajeto e diz que gostou do Irã:

— Foi muito legal, mas eu tenho de admitir que me senti bem ao sair do Irã. Foi o bastante.

Eu sou obrigado a reconhecer que tive a mesma sensação. Em poucos minutos chega o marido dela, dizendo com ar apreensivo que os indianos estavam querendo serrar o chassi do carro, para ver se ele não ia levando algo dentro. E desapareceu de novo, deixando todos preocupados.

Por ali se encontra também um grupo de quatro húngaros, circulando em torno de um furgão velho. Um deles é um cabeludo de barba e sem camisa, sempre com um sorriso irônico. Há quanto tempo vocês estão aqui?

— Chegamos ontem de manhã, há 27 horas.

O que aconteceu? Por que vocês não entraram na Índia?

— Não temos os documentos necessários para entrar com o carro. Estamos em contato com um advogado em Budapeste que está tentando levar os documentos à embaixada da Índia lá e mandar um fax para cá, mas está meio complicado.

Os quatro húngaros viajam num furgão Bedford e partiram de Budapeste há apenas 22 dias, o que significa que estão vindo na maior correria. Querem ir até a Indonésia passando pela Birmânia (Myanma). Ora, as fronteiras da Birmânia com Bangladesh e com a Índia estão fechadas para estrangeiros há anos. Eu pergunto se eles acham que é possível entrar por estrada na Birmânia e o sujeito me responde com um sorriso despreocupado:

— Ora, tudo é possível.

É por pensar que tudo é possível que eles estão aqui, encalhados numa fronteira, há 27 horas.

A nossa espera é preenchida com atividades como o preenchimento de formulários de entrada, carimbo no passaporte no setor de controle sanitário e troca de dinheiro numa agência do Banco do Punjab. Além disso, a gente se revezava na fiscalização da montanha de bagagens e equipamentos espalhados em torno do caminhão.

Às 3h30 chega a nossa vez e uma equipe de três guardas vestindo fardas verdes e turbantes da mesma cor começa a revista do caminhão. Eles entram no veículo já vazio e revistam tudo: o recheio dos bancos, o teto, o piso, os pneus, todos os compartimentos para bagagens e equipamentos. Harry e Ute seguem os guardas com chaves inglesas à mão desaparafusando algumas partes que eles exigem ver por dentro. Os guardas usam ferramentas para bater nas partes ocas do caminhão. Querem ver se o som produzido pela batida corresponde mesmo ao que se espera ou se pode haver algo escondido ali dentro. Enquanto a investigação se desenrola, uma cara meio bebaço vestido à paisana se aproxima de mim e tenta justificar:

— Não desconfiamos de vocês, mas temos de fazer isso devido aos problemas com o Paquistão — diz com jeito triste.

Eu respondo que entendo a situação.

— Em outras fronteiras da Índia não existe este problema — continua ele. — E depois de sair daqui também não haverá problemas para vocês nas estradas. Eu sei que isso só ocorre na Índia, mas...

— Não, tudo bem, eu entendo — tento apressar o desfecho.

— Eu sei que vocês estão sofrendo — prossegue o sujeito. — Mas temos de fazer isso.

Sofrimento é uma palavra um pouco forte que talvez fosse mais apropriada para nossos amigos húngaros, encalhados na fronteira.

Às 5 da tarde, depois de abrirmos algumas bagagens pessoais para a fiscalização, recebemos finalmente todos os carimbos e a permissão para prosseguir. Agora vinha o mais difícil: colocar de volta no caminhão as cerca de três toneladas de bagagens, tendas, equipamentos e peças de reposição. A tarefa ficou mesmo para Harry e para mim. As meninas fizeram corpo mole e Ute — que tinha o físico e a disposição de uma verdadeira caminhoneira — estava resolvendo algo longe do caminhão. Às 6 horas em ponto passamos pela localidade de Atari que significou a nossa entrada oficial na Índia. Foram seis horas na fronteira. Um recorde pessoal que espero não ver superado nunca.

Em mais meia hora estávamos entrando numa Amritsar escura e calma. Sem dificuldade, encontramos na área do acantonamento a Mrs. Bhandari's Guesthouse — a hospedaria da senhora Bhandari. Este hotel da época colonial tem quartos com ventiladores, banheiros espaçosos e portas que se fecham com muitos ferrolhos, como se vê no cinema. O hotel tem piscina, área para camping e um restaurante eficiente. Um local simples mas que tem personalidade, como gostam de afirmar os mochileiros.

A possibilidade de pular da cama às 5 da manhã para sair numa corrida insana a bordo de um motorriquixá rumo ao nascer do sol no Templo Dourado não me animava muito. Depois de Lahore, eu havia decidido que motorriquixá, nunca mais. Afinal de contas, não faz sentido investir dinheiro numa viagem, ter cuidados com a alimentação, com a saúde, com os mosquitos, para perder tudo em troca da economia de alguns trocados.

Na primeira manhã na Índia, no entanto, descobri a existência de uma outra entidade no transporte asiático: o riquixá puxado por uma bicicleta, ou ciclorriquixá. Que vem a ser ainda mais barato do que o riquixá motorizado. Saio do hotel experimentando um ciclorriquixá que me transporta a uma época colonial de tecnologias primitivas e submissão humana. Na bicicleta vai um indiano muito moreno de maneiras educadas, pedalando com dificuldade. A bicicleta puxa uma pequena carroça de duas rodas sobre as quais há um banco de plástico onde se senta o passageiro. Há também uma cobertura de plástico que está geralmente recolhida, como uma sanfona fechada.

Tenho pena do indiano, fazendo todo aquele esforço para levar a mim, cara-pálida, que tenho apenas o poder do dinheiro — poder que se baseia em 20 rupias, o equivalente a 56 centavos de dólar, que é o preço combinado por quase meia hora de pedaladas. Meu *wallah* fala um inglês precário, mas é simpático e eu tenho vontade de perguntar a que casta ele pertence. Mas resisto — este assunto é delicado para um primeiro dia no país. É inevitável a sensação de colonialismo que o riquixá proporciona com o seu formato antigo, seu ritmo lento meio cambaleante e com a exploração do trabalho humano. Mas vejo que os próprios indianos usam muito esse meio de transporte. O trânsito está leve, há poucos carros disputando as ruas e eu decido relaxar e começo a apreciar o passeio. Passando pelas ruas arborizadas do acantonamento, seguimos em direção à cidade antiga, onde vou ao Templo Dourado, o local mais sagrado dos sikhs.

Ao chegar no templo, a primeira coisa que se observa são as paredes externas, brancas e altas, que misturam estilos islâmicos e arquitetura hindu. Encravadas no andar térreo, com portas para o lado de fora, estão várias lojinhas de produtos religiosos e o setor administrativo. Seguindo as regras, tiro as botas e coloco algo sobre a cabeça — um boné branco foi suficiente — para ter acesso à parte interna do templo. Embaixo da torre do relógio há um pequeno tanque com água, onde se deve lavar os pés antes de subir uma pequena escadaria. Lá de cima, se vê um grande pátio central em forma quadrada ocupado por uma piscina imensa. No centro da piscina, o Templo Dourado, construção pequena de dois andares, brilhando ao sol da manhã com sua cúpula de ouro.

É do Templo Dourado que vem a música dolente e doce que, propagada por alto-falantes, enche toda a área. À minha volta, sikhs de toda a Índia fazem sua visita periódica ao mais sagrado lugar de sua religião. Os homens usam roupas ocidentais com um imenso turbante colorido. As mulheres usam *shalwar qamiz* com lenços coloridos sobre o cabelo. Há um forte cheiro de incenso no ar.

De repente, me encontro no mundo dos gurus, dos turbantes feéricos, dos docinhos mágicos, da música inebriante. É a experiência indiana se abrindo diante dos meus olhos, um daqueles momentos em que eu reafirmo minha convicção na vida nas estradas, na sensação incomparável de me jogar em um outro universo. Nenhuma saudade do Brasil. E muito menos da Europa.

As origens do Templo Dourado se confundem com as origens da própria religião sikh. No princípio havia uma lagoa nessa região que recebeu o nome de Amritsar (o tanque do néctar). O guru Nanak, fundador da religião, morou na área em meados do século XVI. Em 1574 a piscina começou a ser construída. O templo em si só seria construído em seguida, entre 1589 e 1601. Mas ao longo dos anos ele seria ocupado e saqueado pelos muçulmanos e sempre reconstruído. Sua estrutura atual se deve ao marajá Rangit Singh, que, no começo do século XIX, embelezou o local.

A filosofia sikh surgiu como uma união de elementos do islamismo e do hinduísmo. Como os muçulmanos, os sikhs veneram um deus único e rejeitam o sistema de castas. A religião foi formulada por nove gurus, ou líderes espirituais que se seguiram a Nanak. O último guru morreu em 1708 e hoje o texto sagrado do sikhismo, o *Adi Grantha*, é venerado como um "guru vivo".

Os sikhs passaram a ser, desde o início, reconhecidos por cinco características: o cabelo longo que nunca pode ser cortado (símbolo de santidade); o pente de madeira ou de marfim (símbolo da limpeza); o calção (usado por baixo da calça tradicional, simbolizando a prontidão para a luta); a espada (para defender os fracos) e um bracelete de metal (que simboliza a determinação). É para prender o cabelo comprido que os homens usam o turbante colorido, que os distingue de outros indianos.

Perseguidos no início por sua nova religião, os sikhs se tornaram guerreiros e chegaram a ocupar áreas do norte da Índia. Até hoje grupos mais radicais defendem a criação de um Estado nacional sikh no Punjab. Dessa tradição de luta surgiram os traços militares na sua indumentária: a espada e o bracelete. O calção foi adotado como vestuário por ser muito mais prático para a luta do que as vestes tradicionais indianas.

O mundo dos sikhs é administrado do Akal Takhat, uma espécie de Parlamento que funciona dentro do Templo Dourado. O templo abriga também uma cozinha coletiva onde são servidas 30 mil refeições diárias de graça para qualquer pessoa que queira. Há também um grande *niwas* (albergue), com capacidade de acomodar milhares de fiéis de todas as partes do mundo. Tudo é grátis. No Museu da História dos Sikhs, também no complexo do templo, há pinturas de todos os mártires da religião que morreram em batalhas ao longo dos últimos quatro séculos. Ao lado das pinturas, há uma placa que afirma em tom ameaçador:

"Em junho de 1984, a primeira-ministra da Índia, Indira Gandhi, numa atitude calculada, enviou tropas do exército para atacar os sikhs no Templo Dourado. Milhares morreram na batalha. Mas dentro de pouco tempo, os sikhs teriam a sua vingança."

O conflito de 1984 foi um desfecho trágico da onda de nacionalismo que tem vigorado no Punjab nas últimas décadas. Na época, nacionalistas sikhs que defendem a criação de um Estado independente, que se chamaria Khalistan, tomaram o Templo Dourado. Como diz a placa, Indira Gandhi resolveu enfrentar a rebelião com tanques. O templo foi parcialmente destruído.

A ação militar, no entanto, acabaria provocando, meses depois, o assassinato da primeira-ministra por dois guarda-costas sikhs. A tomada do Templo Dourado ficou na lembrança dos indianos como um símbolo das tensões étnicas e religiosas que ainda abalam o país de tempos em tempos.

Os sikhs adotam a instituição da Khalsa, ou comunidade, que coordena todos os aspectos da vida social. No livrinho que comprei no templo, intitulado *O guru Nanak e sua missão*, o autor Teja Singh afirma que o sikhismo é uma religião coletiva. "Não há entre os hindus ou muçulmanos uma palavra que abrigue a todos. Os católicos têm a noção de Igreja, mas não podem incluir elementos como nação, história, forças armadas, preocupações religiosas e mundanas sob o comando desta instituição. Somente o nosso conceito de Khalsa inclui todas as atividades e instituições."

Apesar do dogmatismo e da tradição militar, no trato cotidiano os sikhs são um povo afável. A própria religião prega a boa vontade e a hospitalidade em relação a povos de todos os cantos do planeta. A despeito de todo o clima de contrição religiosa, nem dentro do templo eu escapo de comentários sobre futebol, quando respondo a perguntas sobre a minha nacionalidade.

Na entrada do Templo Dourado, uma placa em inglês fala sobre a teoria do *bliss* (suprema alegria, paraíso) e sobre a necessidade do ser humano vivenciar espiritualmente a parte sensorial (cores e sabores) para afastar os maus pensamentos. Isso me parece revolucionário em termos de religião. E os sikhs parecem vivenciar a teoria do *bliss* com vontade, pelo menos neste templo.

Primeiro nas cores: os homens usam roupas ocidentais, mas na cabeça trazem turbantes em cores psicodélicas. Não basta ser amarelo ou azul. Tem de ser uma tonalidade muito forte, quase beirando ao faiscante. Os jovens sikhs criados no exterior e que não usam turbantes, ao visitar o templo têm de pôr algo sobre a cabeça. Escolhem lencinhos de tecido lamê nada discretos. As mulheres sikhs usam em geral não o sari indiano e sim um *shalwar qamiz* também absolutamente colorido. Tudo isso, combinado ao branco absoluto do templo e às águas da piscina sagrada que refletem o santíssimo de ouro, serve para criar uma profusão de cores inigualável que acaba aguçando os sentidos.

À borda da piscina sagrada, homens banham-se usando apenas o calção. Há pequenos cômodos onde gurus estão de plantão para consultas ou aconselhamento. No centro da piscina, uma passarela conhecida como Ponte do Guru leva ao Hari Mandir, o Templo Dourado propriamente dito. Lá dentro, três músicos executam a música langorosa em duas pianolas e uma tabla, enquanto quatro religiosos cantam versos do *Adi Grantha*, as escrituras sagradas em língua punjabi. Todos os presentes parecem em transe. Não há estátuas para adoração. A veneração é dirigida a um livro, um exemplar antigo do *Adi Grantha*. Há muito incenso no ar e flores são jogadas sobre o livro sagrado. Alguns fiéis param e sentam durante alguns minutos dentro do santíssimo. Outros apenas circundam o local e voltam pela passarela às bordas do lago. Após visitar o Hari Mandir, todos recebem um punhado de *prasãdam*. Esse alimento do ritual é uma mistura de farinha, manteiga e temperos locais, que tem um gosto muito doce.

Todas as religiões utilizam em menor ou maior escala estímulos sensoriais para expressar sua doutrina. Mas com seus cânticos, cores, alimentos e incensos, nenhuma supera o espetáculo sensorial dos sikhs, o *bliss* religioso do Templo Dourado.

Com mais de 700 mil habitantes, Amritsar me parece até uma cidade tranqüila se comparada com nossas recentes experiências. Saindo do templo sikh, andei em direção a um templo indiano dedicado à deusa Durga e me perdi em meio a um bazar onde havia mulheres de saris, homens de turbantes e muitas pulseiras coloridas à venda. Depois da sensação causada pelo Templo Dourado, preferi não entrar no Templo Durgiana. Dei uma olhada rápida de fora e me dirigi ao centro comercial da cidade.

Procurei por alguns cinemas que em Amritsar a velha geração chama pelo delicioso termo inglês de "picture halls". Em frente do Cinema Chitri encontrei uma feira de frutas num ambiente de muita pobreza. Deficientes físicos mendigando, muitos pedintes, muito lixo e muitas vacas pastando por todos os cantos.

A hospedaria da Sra. Bhandari tem cachorros que guardam o território à noite contra eventuais intrusos. Eu torço para que as feras já estejam presas quando saio do meu quarto às 5h30 da manhã, para encontrar um *wallah* de ciclorriquixá. Dez minutos depois ele aparece, se desculpando pela demora:

— Madame acabou de me acordar dizendo que tinha de levar o senhor ao templo.

Eu havia pedido um riquixá na noite anterior, mas não sabia que seria o mesmo sujeito de ontem, educado, quase submisso. Saímos de riquixá ainda no clima ameno da madrugada, a cidade ainda às escuras. O *wallah* me aponta uma estátua do Mahatma Gandhi aqui, um templo ali. Na Court Road, a avenida principal que liga o acantonamento à cidade antiga de Amritsar, uma casa de estilo moderno está da mesma forma de ontem à noite: toda enfeitada com fitinhas de papel laminado, uma cascata de pequenas luzes coloridas descendo do primeiro andar até o térreo e com uma música religiosa tocando em alto volume. No centro, outro templo da mesma forma, tudo aceso e música para todos ouvirem da rua no final da madrugada. É a Índia da religião *non-stop*.

De certa forma atraído por aquele espetáculo místico-psicodélico do dia anterior, às seis da manhã eu já estou tirando as botas e lavando os pés para entrar novamente no Templo Dourado. O movimento é o mesmo da tarde anterior. Os peregrinos entram e, ao verem a piscina sagrada, fazem uma reverência de mãos postas, rezam um pouco, rodeiam toda a piscina. Outros se curvam e beijam rapidamente o chão. O santíssimo está iluminado por luzes artificiais, o que o deixa ainda mais dourado. Quando surgem os primeiros raios da manhã, as luzes são apagadas e a espera é pelos raios de sol que vão fazer brilhar mais tarde a construção dourada.

Neste começo de manhã, muita gente ainda dorme nos quartos que dão para a passarela que circunda a piscina. A música religiosa continua vindo lá do santíssimo. A cozinha comunitária já prepara as primeiras refeições do dia. Mas, em determinado momento, todos os visitantes param, ficam de pé e rezam uma oração. Em poucos minutos, tudo volta ao normal e a vida no templo prossegue com música, banhos e distribuição de doces.

Peço ao meu *wallah* para me levar aos Jardins de Jalianwala — um parque onde em 1919 houve o massacre de cerca de 2 mil indianos que pediam a saída das tropas britânicas do país. O massacre foi uma das cenas mais marcantes do filme *Gandhi*, de Richard Attenborough. Nessa manhã de outono, homens de meia-idade batem papo nos bancos do parque e alguns fazem exercícios.

Animado pelo meu interesse em História e religião, o *wallah* quer me levar a outros lugares e sugere um templo indiano conhecido como Mother Temple. Não tenho muito tempo mas acabo concordando. O Mother Temple é na verdade apenas mais uma casa iluminada e ornamentada com fitinhas coloridas onde mulheres hindus cantam e jogam oferendas de comida sobre estátuas de deuses. Neste começo de manhã, a impressão que tenho é a de que este templo também não fechou para a noite e que há um fluxo constante de fiéis, independente da hora do dia.

Às 9 horas estamos dizendo adeus à hospedaria da Sra. Bhandari e seguindo rumo ao sul, em direção ao estado de Harayana. O Punjab é uma grande planície quente. Imediatamente notamos os contrastes entre a Índia e o Paquistão. Na Índia há uma boa estrutura de hotéis, restaurantes e estradas. Incomparavelmente melhor. Mas há também muito mais pobreza, com pessoas morando em tendas na beira das estradas, perto de torres de eletricidade. A estrada se revela um ótimo local para a observação de carros antigos, principalmente o Ambassador, um modelo redondo dos anos 60 que ainda hoje é o grande carro indiano, presente em todas as ruas, geralmente em cor branca.

Ambala é apenas uma parada técnica para a noite. Encontramos um hotel no centro da cidade, no que parecia ser a rua principal. À noite, o jantar foi mais uma oportunidade para experimentar a variedade de refrigerantes da Índia. Em poucos dias já bebi o Limca (de limão), o Mazar (de manga) e duas colas chamadas Thums Up e Campa Cola, que não são ruins.

No restaurante, o garçom se dispõe a trazer tudo que pedimos fazendo uma espécie de cacoete com a cabeça. Na verdade não é um cacoete, e sim um sinal de concordância tipicamente indiano. Aqui, quando querem dizer sim, as pessoas não balançam a cabeça de cima para baixo como no Ocidente. Os indianos desenham com o queixo uma espécie de número oito imaginário, em posição horizontal. Para nós, a primeira impressão é que eles estão dizendo algo como "não enche, segue adiante". Mas não, o movimento quer dizer "o senhor está certo, eu concordo". É difícil no início a adaptação a essa nova linguagem corporal.

A estrada de Ambala para o sul é confusa, cheia de desvios que passam no meio de uma paisagem muito plana com uma vegetação rasteira e muitos macacos atravessando a pista. Na Índia, eu tenho visto constantemente aquele tipo de mulher muito morena e magra, brincos de argola no nariz, sari colorido com lenço no cabelo, geralmente acocorada pelos cantos, à beira das estradas. Aliás, a posição de cócoras parece ser uma preferência em toda esta região da Ásia. Aqui na Índia a coisa chega ao exagero: em uma parada de ônibus perto de Ambala, havia uma mureta que serviria para as pessoas se encostarem ou mesmo se sentarem. Pois três ou quatros homens estavam sobre a mureta, mas todos acocorados. Lembravam pássaros pousados em um poleiro.

Os 229 quilômetros se passaram rápido e logo estávamos entrando em Delhi. Na periferia, passamos por rios muito poluídos e por aquela decadência característica de metrópoles do Terceiro Mundo. Na entrada da cidade havia bonecos gigantes que à noite seriam queimados como parte do festival de Dussehra, que estava em andamento nessa semana.

Ute tinha dito que o hotel onde o caminhão estacionaria em Delhi não seria "luxuoso". Pela experiência, eu já sabia que "não ser luxuoso" para ela significa na verdade que o hotel seria uma espelunca. Confirmado: o Ringit Hotel é um monumento à decadência. Senti o clima já na entrada, onde recepcionistas pegajosos insistem em carregar as mochilas claramente em troca de gorjetas. Quando as gorjetas não saem, a simpatia se transforma em má vontade.

Estabeleço como objetivo inicial a tarefa de andar do hotel até Connaught Place, uma das áreas centrais de Nova Delhi, para um primeiro reconhecimento de campo. A tarefa é difícil e desagradável. O Ringit fica numa área cercada de favelas. Dou de encontro com uma passeata religiosa com muitos fogos e depois de andar uns 40 minutos consigo chegar a Connaught Place. É feriado na cidade, além de ser uma tarde de sábado. Há uma terrível fedentina no ar, fezes e urina por todo canto. Gente pedindo esmolas. Outros insistindo em vender bugigangas a estrangeiros. Para fugir do desconforto das ruas, acabo entrando em um bazar subterrâneo que se revela ainda pior: um lugar escuro e fedorento cheio de lojinhas de suvenir para turistas. Delhi começa a apresentar para mim uma decadência que eu não encontrara até agora em lugar nenhum nessa viagem.

Connaught Place é uma área central para estrangeiros que na Índia são geralmente mochileiros, andarilhos, místicos e malucos em geral. Gente que rompeu com tudo e veio morar de vez no país, atraída pelas praias, pelas drogas e pelas religiões.

Há também nas ruas garotas indianas em trajes ocidentais e algumas usam longas tranças no cabelo e sáris coloridos. Depois de dois meses no mundo muçulmano, ver mulheres de novo com a barriga de fora e cabelos grandes soltos já é alguma coisa.

Mas passado o primeiro impacto, a cidade de Delhi pode vir a ser encarada como um lugar fascinante da experiência humana sobre o planeta. Delhi hoje é uma espécie de Distrito Federal que serve como capital de um país de quase um bilhão de habitantes. No momento, a cidade tem uma população que supera os 11 milhões de habitantes.

No local onde atualmente existe Delhi foram construídas ao longo do tempo oito cidades importantes que prosperaram em épocas diferentes e desapareceram deixando apenas algumas ruínas. A primeira dessas cidades — Indraprastha — está citada no poema épico *Mahabharata* de 3 mil anos atrás. O que se vê no Distrito Federal hoje, entretanto, é a "sétima cidade", que se chama de Delhi antiga. E ao lado dela, mais ao sul, a "oitava cidade", que vem a ser Nova Delhi, capital da Índia.

A antiga Delhi foi construída pelo legendário imperador Xá Jahan no século 17 para ser a capital da Índia governada pela dinastia Mughal. A cidade antiga ainda concentra hoje os grandes monumentos muçulmanos da época áurea como o Forte Vermelho e a Mesquita da Sexta-Feira, a maior de toda a Índia.

Nova Delhi é uma invenção britânica. Em 1909, os ingleses anunciaram a transferência da capital colonial de Calcutá para Delhi. Em 1931, foi inaugurada a mais nova cidade-jardim do planeta: Nova Delhi seguia o projeto do inglês Edwin Luytens. Tinha avenidas largas cheias de jardins, casas espaçosas, grandes edifícios para órgãos do governo. Nova Delhi foi certamente construída na tradição de Washington, nos Estados Unidos, como uma capital planejada para um grande país. Tradição depois seguida por Brasília e Islamabad, no Paquistão. Mas os sonhos de grandeza nem sempre se realizam, e os ingleses, construtores de Nova Delhi, viram a colônia fugir de suas mãos em 1947.

Neste domingo à tarde, visito a casa onde morou Indira Gandhi, uma mansão em estilo funcional na Avenida Safdarjang, em Nova Delhi. A entrada é vigiada por policiais de varetas na mão para controlar a multidão de visitantes. Lá dentro, indianos falando as mais diferentes línguas presentes no país se empurram e se acotovelam para ver a exposição de fotos que preenche todas as paredes.

As fotos da vida de Indira mostram a trágica história da Índia neste século: quando criança, visitando o Mahatma Gandhi, que seria assassinado, após a independência do país. Depois fotos com seu filho mais velho Sanjay, morto em um acidente de avião. Ele era tido como o seu sucessor político. Em 1984, a própria Indira seria morta nos jardins desta casa por dois guarda-costas sikhs. Há em exposição também lembranças do filho mais novo de Indira, Rajiv Gandhi, que também acabou assassinado quando era primeiro-ministro, em 1991.

Recordar tudo isso em fotos na companhia desta turba de indianos que são controlados a golpes de vareta pelos seguranças não é uma imagem das mais tranqüilizadoras. A residência-museu de Indira Gandhi simboliza a Índia caótica de hoje. Ocorre-me uma antiga expressão carregada de preconceito político, mas que aqui acredito que se aplica: a massa ignara. A Índia se compõe de uma massa ignara de quase 1 bilhão de habitantes, governados por uma cultura política na qual a corrupção e a violência são endêmicas. E quase um quinto da população do planeta está presente neste barco.

O Hotel Ranjit se supera a todo momento. Ontem à noite cruzei com um cachorro vira-lata que circulava pelos corredores do quarto andar, onde fica meu quarto. Na portaria os funcionários não sabem dar qualquer informação. É frustrante porque o hotel — teoricamente com 186 quartos — parece ter uma boa estrutura. Muitas coisas na Índia lembram a antiga União Soviética. Esse hotel, por exemplo, foi bem planejado e estruturado, mas não funciona. Talvez a semelhança se deva ao fato de a economia indiana ter sido também durante anos monopolizada pelo Estado. No hotel, entretanto, há uma mistura de má vontade russa com a miséria do Terceiro Mundo. É uma mistura explosiva.

Mas isso não importa agora, porque tenho uma segunda-feira toda pela frente para fazer o que gosto: bater pernas na metrópole. Ao chegar em Nova Delhi para ir ao correio e trocar dinheiro, me surpreendo com a poluição. No fim de semana, tudo parecia normal. Hoje há uma fumaça intensa no ar. Não cheira mal como São Paulo ou Los Angeles, mas dá para ver que é poluição mesmo. Sou informado depois que Delhi já disputa animadamente com a Cidade do México o título de cidade mais poluída do mundo. Aqui as emissões de monóxido de carbono estão 50 vezes acima do nível recomendado pela Organização Mundial de Saúde. Em certos trechos, mais movimentados, o pedestre respira durante um dia a fumaça equivalente ao fumo de 40 cigarros.

Hoje certamente eu serei um fumante porque quero percorrer muitas ruas de Nova Delhi. Inicialmente, andei em torno do prédio do Parlamento, onde uma senhora defecava solenemente na calçada lateral; percorri a pé o Rajpath, a principal avenida da capital, sendo abordado pelos *wallahs* de motorriquixá a todo momento. A jogada deles é convidar a pessoa para um passeio pela cidade. Ao ouvir a primeira recusa, oferecem o veículo para levar o estrangeiro a qualquer lugar por um preço muito barato. A única exigência é de que o cliente concorde em visitar uma loja de suvenires. Se comprar alguma coisa, o *wallah* sai com uma comissão. A insistência é irritante e, em alguns casos, chega a estragar a experiência de muitos estrangeiros na cidade.

Vou ao complexo de prédios do governo que fica em uma pequena elevação e lá de cima observo os poucos carros que passam embaixo: é o modelo Ambassador, divertido em suas formas redondas, percorrendo os largos caminhos do Rajpath. Em Delhi, o Ambassador é muito usado também como táxi: tem invariavelmente o teto amarelo sobre a pintura preta. Um dia desses voltei ao hotel em um táxi desse tipo. A direção é do lado direito, como na Inglaterra, e o motorista era um sikh de turbante vistoso. Foi divertido a sensação de estar de volta aos anos 60, em um filminho daqueles de Satyajit Ray.

Os deslocamentos em Delhi são difíceis. O viajante de pouco dinheiro fica dividido entre os motorriquixás insistentes, os ciclorriquixás que não conseguem ir longe porque a cidade é muito grande, os táxis mais caros e os ônibus. No fim de semana houve atentados com bombas em alguns ônibus e eu decido excluir essa forma de transporte. Entro em mais um Ambassador, negocio o preço e vou para a Delhi antiga.

O objetivo é este mesmo: me meter na confusão que é a Chandni Chowk, a Rua da Prata, a principal da parte antiga da cidade. Sinto-me dominado por um hobby — reconheço que meio perverso — de comparar situações de caos urbano. Penso em Istambul, em Damasco, em Peshawar, em Lahore. Chandni Chowk em Delhi parece superar todas. Não tanto pela quantidade de pessoas ou pelo barulho (neste item Peshawar ganha). Mas o que distingue a capital indiana é realmente a poluição.

Se em Nova Delhi as ruas planejadas não exibem tanto a presença humana, em Chandni Chowk é o oposto. Localizada no centro nervoso da cidade velha, parece que a população inteira saiu à rua para fazer compras. E saiu de todas as formas concebíveis. As calçadas estão apinhadas de gente. O único refúgio são as belas lojas de tecidos para mulheres, onde elas se sentam sobre tapetes tomando chá e escolhendo tranqüilamente um novo sari.

Mas o que se vê na rua em si é um espetáculo surreal de engarrafamento. Em vez de ser um engarrafamento tradicional de carros, o congestionamento é composto de animais (cavalos, camelos e bois) puxando carroças que levam carga e pessoas e por riquixás de todos os tipos, além de muitos pedestres. É um desfile absurdo, grotesco e divertido para quem não está com pressa para desbravar toda a multidão e ir embora. No cruzamento entre a Chandni Chowk e a Avenida Netaji Subhash, os animais e seus reboques enroscam-se com caminhões e ônibus soltando fumaça e buzinando numa confusão infernal. Se houvesse um concurso para escolher o pior cruzamento do mundo, este aqui seria um concorrente forte.

14 — O marajá não mora mais aqui

A FUMAÇA AZUL MUITO DENSA JÁ cobre toda a cidade de Delhi, e de um viaduto perto do hotel pode-se ter uma visão geral da cidade, imersa na poluição. Nos subúrbios do sul, passamos por elefantes que vagarosamente ocupam as avenidas e por macacos que pulam de galho em galho nos parques na cidade. Os animais causam um grande espanto e curiosidade entre os novos companheiros de viagem.

Parece que esta viagem louca finalmente vai se tornar lucrativa para o dono do caminhão. O Mercedes, com capacidade para 23 passageiros e dois motoristas, finalmente está sendo ocupado como deve ser um caminhão que foi transformado em ônibus. Agora temos viajando conosco um casal simpático da Nova Zelândia na faixa dos 60 anos. Eles vêm a ser ninguém menos que os pais de Harry, o motorista. Decidiram vir de avião da Nova Zelândia para percorrer de caminhão algumas cidades da Índia. Trouxeram consigo uma outra senhora neozelandesa da mesma idade. Além deles, da Inglaterra chegaram dois ingleses e da Suécia uma outra senhora.

Hoje a viagem é em busca das cores. Saindo de Delhi, pegamos a rodovia nacional número 8 que se dirige à parte sul do estado de Haryana em direção ao Rajastão. Esse é o estado indiano conhecido durante mil anos como o centro do poder rajaputro, um grupo de clãs guerreiros que governava a região baseado num código de fidelidade e de honra semelhante ao sistema feudal que vigorou na Europa na Idade Média.

O Rajastão se destaca na Índia também pela exuberância com a qual o povo se veste. As mulheres não usam sari indiano e sim vestidos coloridos, alguns feitos de retalhos, e saias "ciganas" longas. Por cima da cabeça, usam um lenço solto e fino muito longo que desce às vezes até o meio das pernas. Enfeitam-se também com muitas bijuterias no pescoço, pulseiras nos braços e brincos no nariz. São morenas de traços ocidentais, olhos grandes e sorriso largo. Os homens, por sua vez, usam bigodes imensos e turbantes enormes. Aqui não é mais o turbante sikh, contido e pontudo. No Rajastão, o pano é enrolado em torno da cabeça, formando uma espécie de trouxa enorme e exótica. No passado, a cor e o formato do turbante indicavam a posição social do homem. Hoje faz parte apenas do senso estético exacerbado das populações que vivem nesta área.

No meio da tarde vimos no horizonte as primeiras montanhas, desde que chegamos à Índia. Logo depois estávamos chegando à localidade de Amber, antiga capital de um pequeno reino rajaputro, onde ainda existe uma maravilhosa fortificação que abriga um palácio construído no século XVI. Amber era a sede de um dos 532 pequenos reinos e principados que formavam o que se conhece hoje como Índia. Como os outros reinos que existiam no Rajastão, o marajá de Amber foi vassalo de imperadores da dinastia Mughal.

Quando chegaram à Índia, os ingleses instituíram a política de dividir para governar e mantiveram funcionando a estrutura de pequenos reinos governados pelos marajás locais. A última palavra nas decisões que afetavam o poder colonial era evidentemente dada pelos ingleses. Com a independência, o novo governo negociou com os marajás a adesão desses reinos ao novo Estado em troca da manutenção de privilégios como títulos de nobreza e da propriedade de seus castelos. Somente a partir dos anos 70 o governo indiano começou a abolir muitos dos antigos privilégios. Sem alternativa, os descendentes de marajás abriram suas propriedades à visitação pública.

Amber fica em uma montanha cujo acesso é feito através de elefantes. O local lembra o cenário de filmes de época sobre a história da Índia. Lá dentro, uma coleção de salões de recepções, palácios para audiências públicas, templos hindus, e os aposentos para as doze esposas do marajá. Amber é um exemplo de como o poder político ligado à criatividade da cultura oriental se uniam no passado para a construção de monumentos fascinantes.

O melhor momento da visita é o Sheesh Mahal, o pequeno Palácio de Vidro onde o marajá entretinha as suas concubinas. O salão principal desse palácio, construído em 1639, é adornado por mosaicos delicados e por pequenos pedaços de espelhos no teto. Quando as portas são fechadas, a escuridão permite que uma pequena fonte de luz — como um fósforo ou uma vela acesa — se transforme em um belo espetáculo de "estrelas cintilando no céu", isto é, os espelhos reluzem no teto decorado proporcionando um efeito ótico espetacular.

Uma bela garota magra usando uma longa trança no cabelo e um *shalwar qamiz* laranja todo bordado se separa de um grupo de estudantes do qual faz parte e se aproxima de mim para perguntar de onde sou. Surpreende-se com a resposta, com o jeito característico de uma estudante que, de repente, vê a palavra Brasil saltar de um livro chato de geografia e se transformar num sujeito de carne e osso diante dela. Pergunta o que eu acho da Índia. Ela é de Hyderabad, no centro-sul do país. Tenho notado nestas visitas a monumentos que muitos adolescentes preferem conversar com um estrangeiro a ouvir uma palestra de um professor sobre o valor arquitetônico de um determinado palácio.

As nuvens ficam mais carregadas e do alto da colina dá para ver claramente a chegada da chuva. As nuvens deixam Amber ainda mais bela. O cheiro de chuva atiça o movimento dos passarinhos e eles passam a cantar mais alto. A rápida tempestade do fim de tarde agita também os macacos de focinho preto que habitam os jardins do forte. Na saída, há mais macacos por toda parte. Descemos a pé a estrada do forte, passando por uma espécie de corredor polonês formado apenas por macacos indianos.

O cheiro de chuva ainda estava no ar quando chegamos a Jaipur, a capital do Rajastão, uma cidade cercada por um muro e com os prédios centrais na cor rosa, mais um milagre arquitetônico como só a Ásia sabe produzir. Jaipur foi construída em 1727 pelo marajá Jay Singh como uma alternativa maior à vizinha Amber. A cidade cor-de-rosa foi erguida de forma planejada e ainda hoje o seu centro original é totalmente cercado por um muro. O trânsito lento do centro nos consumiu 45 minutos. Mas o tempo passou rápido porque era inigualável o espetáculo de muralhas e edifícios cor-de-rosa ornamentados pela presença da população que se veste da forma mais exuberante.

Estava escurecendo quando chegamos ao Hotel Bissau Palace, uma antiga mansão que pertenceu a um marajá. É nele que vamos passar a noite, acompanhados de turistas holandeses e alemães.

No dia seguinte, um indiano meio entroncado chamado Eugene faz uma palestra no jardim em frente ao hotel para explicar um pouco desse mundo estranho chamado Índia.

Decido dividir minha visita a Jaipur em duas partes. À tarde, vou andar sozinho, como gosto. Mas reservo a manhã para a parte "turística". Reluto um pouco em entrar em monumentos e encontrar os grupos de alemães de sempre. Mas depois do Palácio de Amber, fico convencido de que alguns monumentos, apesar de turísticos, são mesmo indispensáveis. Eugene nos leva ao Hawa Mahal, o Palácio dos Ventos, um impressionante edifício de cinco pavimentos construído em 1799 para permitir que as mulheres da corte pudessem observar o movimento da cidade sem serem vistas; fomos ao Jantar Mantar, um observatório astronômico construído pelo marajá Jay Singh, que era um fanático por astronomia. Mesmo construído há mais de 200 anos e sem ter aparelhos de medição eletrônicos, o observatório permite aos especialistas a leitura de movimentos no cosmo e a previsão de eclipses.

Eugene nos convida para conhecer uma fábrica de tapetes, os tapetes do Rajastão. Esse é o tipo de convite que eu recebo desde Istambul e que recuso de cara, sem nenhuma hesitação. Mas por algum motivo, desta vez eu decido aceitar. Fomos visitar uma cooperativa de fabricação de tapetes onde pude observar, além de belos tapetes, um curioso processo de vendas que tem a eficiência do capitalismo mais polido e eficiente.

Primeiro os indianos sanaram as nossas necessidades mais urgentes naquele momento: ir ao banheiro e comer alguma coisa. Servem de cortesia refrigerantes, bananas e *pakoras*, uma pequena empanada de verduras muito apimentada. Depois nos levam a conhecer todo o processo da fabricação de tapetes: o desenho do padrão, a seleção da lã ou da seda, o tear, o polimento, a lavagem final. Em seguida, passamos a uma sala espaçosa, com ar-condicionado, um ambiente muito confortável, longe da confusão e do calor das ruas. É lá onde uma equipe de nove vendedores, todos falando um bom inglês, exibe o produto acabado, desenrolando diante dos nossos olhos dezenas de tapetes, alguns enormes, outros menores, uns até bem pequenos.

É como um curso intensivo sobre tapeçaria oriental: a importância do número de pontos por centímetro quadrado para a aparência do tapete; a textura do tear; as vantagens da seda e da lã; a identificação dos desenhos tribais etc. Somente depois de tudo isso é que se começa a falar em preços: aceitam todos os cartões de crédito ou dinheiro em qualquer moeda de países de economia estável. Mandam entregar a encomenda na casa e no país do comprador se o cliente não quiser levar o tapete consigo. Se quiser sair com o tapete, fornecem pequenas embalagens que transformam um tapete até dos grandes em um volume igual a uma mala de tamanho médio. Alguns não resistem: o casal neozelandês acaba comprando um tapete médio.

Hora de cair na rua. Saí da cooperativa de tapetes procurando o centro de Jaipur, os bazares. Acabei me perdendo irremediavelmente num bairro muito pobre, cheio de gente nas ruas e garotos me dizendo "hello". Quanto mais eu andava, mais perdido ficava. Estava numa área da cidade na qual, ao contrário do colorido do Rajastão, as mulheres usavam um véu preto cobrindo o nariz e a boca, além de um lenço escuro sobre o cabelo. Acredito que eram muçulmanas. Nessas ruelas havia camelos e muitas vacas. Cruzei até com uma vaca anã na rua. Não era um filhote, era mesmo um problema genético. Um homem aleijado passou com um macaco no ombro e a coisa começou a ficar grotesca. Peguei um ciclorriquixá até o centro, onde fui ver as pulseiras tribais que ornamentam a cidade amontoadas nas bancas dos camelôs.

Depois da dose diária de caos urbano e estando no país que mais produz filmes no mundo, decido ir ao maior cinema de Jaipur, o Raj Mandir. Vejo um sujeito folheando um jornal em inglês numa livraria e decido perguntar como chegar ao cinema.

— Ah! É um prazer falar com você. De onde você é? — saltou de alegria o moreno em trajes simples e ar digno, quando lhe dirigi a palavra. E continuou:

— Eu lhe digo onde é o cinema. Mas que bom você ter me perguntado! Olha, eu sou funcionário público e meu hobby é falar com estrangeiros. Nas horas vagas estudo literatura inglesa, Shakespeare, Shelley, gosto desses escritores.

E adiantou:

— Eu não sou *hawker* não. Não quero lhe vender nada. O que está achando da Índia?

Surpreendido com a recepção calorosa, a primeira desse tipo na Índia, eu ia superando as perguntas como um corredor numa pista de cem metros com barreiras, seguindo em busca do objetivo, que era saber onde ficava o Cinema Raj Mandir. O meu novo amigo — cujo nome a essa altura eu já sabia que era Maman Chand — continuava a derramar cortesias:

— Eu gostaria de lhe mostrar uma das aldeias tradicionais da região.

Agradeci a atenção, mas expliquei que não teria muito tempo no Rajastão. Contei rapidamente o meu roteiro. Ele compreendeu. Ao contrário do que pareceria no Ocidente, Chand tinha o ar simples de um sujeito do interior que tem curiosidade pelo mundo exterior, mas não pode viajar. Meio como o pessoal que encontrara tanto no Irã. Trocamos endereços e promessas de manter contato. E ele acabou me dizendo que bastava seguir adiante e dobrar à esquerda para encontrar o Raj Mandir.

Muita gente jovem aguarda o início de uma nova sessão em frente ao grande cinema com letreiro iluminado por pequenas luzes e um grande cartaz anunciando o filme da semana: *Gupi*. Entro na fila dos homens para comprar o ingresso. A fila é controlada por um policial com a tradicional vareta de madeira ameaçadora. As mulheres têm uma fila separada para elas.

Há vários tipos de ingresso e eu compro um dos melhores. Uma cadeira no Círculo Nobre também conhecido como "Setor Esmeralda", por 30 rupias. Entro com a sessão já iniciada. Não é difícil pegar o argumento do filme. A história é tão simplória e fácil de entender que chego a me perguntar se, por milagre, eu não estaria entendendo hindi. Um jovem ama uma moça rica, mas não tem a simpatia do pai dela. Acontece um assassinato por causa de uma disputa imobiliária e o herói, acusado de responsabilidade, acaba sendo preso. O filme é a sua tentativa de fugir da cadeia, limpar o seu nome e ainda reconquistar o coração da mocinha.

Existem pelo menos 12 mil cinemas na Índia atualmente. No centro de Jaipur há quatro grandes e o Raj Mandir é o mais imponente deles. Este é um cinema dos bons tempos, como não se faz mais no Ocidente. O prazer de ir ao cinema ainda está presente em todos os seus requintes. Durante a sessão há um intervalo no meio do filme, quando as luzes se acendem e a platéia se dirige a uma ante-sala toda ornamentada numa mistura de *art déco* (própria da época áurea do cinema), com traços também de *art nouveau*. As famílias compram pipocas, sanduíches e refrigerantes e depois voltam ordeiramente para suas cadeiras quando soa aquele tipo de sirene com um som de gongo, tradicional dos cinemas.

Com uma produção gigantesca que já chegou até a mil filmes por ano, o cinema indiano é uma indústria na qual se recicla tudo: todas as histórias já foram contadas e recontadas à exaustão. O que muda é um ator aqui, uma cara nova ali. É o cinema que produz também toda a música popular do país. Praticamente todos os filmes são musicais. Mesmo se a história for séria, sempre há um momento em que os personagens esquecem tudo e se entregam a uma dança frenética em paisagens campestres idílicas, ao som do pop indiano. São os chamados *massala movies*, uma mistura inconseqüente de romance, violência e música. O povo adora.

Do ponto de vista artístico, os filmes são um grande exercício de diluição: o roteirista dilui uma história do folclore do país ou um tema policial ou amoroso originário de Hollywood. O compositor dilui música clássica indiana ou música folk para fazer as canções pop; o coreógrafo dilui estilos da dança tradicional para adaptá-la às exigências do mercado de massas. E assim por diante, o monstro cresce. A indústria cinematográfica mistura-se cada vez mais com a indústria musical e editorial. Num setor que movimenta US$ 850 milhões por ano, até a Máfia é acusada de investir em cinema na Índia.

A época de ouro do cinema indiano foi no final dos anos 50, começo dos anos 60. Estes filmes antigos são mostrados 24 horas por dias em canais de TV por satélite especializados em filmes. Hoje o cinema se divide em basicamente três correntes: o cinema de massa em língua hindi, feito em Bombaim, conhecida como a Hollywood indiana, ou melhor, a Bollywood; o cinema também de massa produzido em línguas regionais do sul da Índia, como o telugu e o tâmil. E o cinema mais artístico de Calcutá, em língua bengali. Foi de Calcutá que saiu um dos melhores cineastas indianos de todos os tempos, Satyajit Ray.

Em 1996, por exemplo, foram produzidos 681 filmes (uma queda de 73 filmes em relação ao ano anterior). Curioso que, desses, apenas 126 foram produzidos na língua nacional hindi, o que prova o vigor do cinema regional, sobretudo no sul do país, onde não se fala hindi.

Num país onde a televisão sempre foi estatal e paupérrima e onde muitos não tinham até pouco tempo um televisor em casa, o cinema continua sendo a grande diversão para as massas, como foi no Ocidente até os anos 50. Apesar da explosão nos últimos anos da TV por satélite, ela ainda não atinge a grande massa. Aqui o velho slogan ainda é verdadeiro: cinema é a maior diversão.

Ontem à noite temi pela minha segurança, coisa muito rara nesta viagem. Peguei um desses ciclorriquixás para voltar ao hotel e o *wallah* se meteu por ruas esburacadas que eu não conseguia identificar. Cheguei a pensar que poderia estar sendo levado para um lugar distante para ser roubado. Mas depois de 20 minutos de apreensão, respirei aliviado quando avistei a minha rua com enormes poças de lama onde os porcos se banham e há sanitários públicos sem portas onde os homens urinam de costas para a rua, mas como se estivessem em um ambiente fechado. A paisagem não era das melhores. Ao contrário, essa era a rua mais suja e feia do mundo. Mas ali ficava o confortável Bissau Palace, onde dormi muito bem.

E agora, depois de uma manhã de viagem, já estamos parados em Fatehpur Sikri, a caminho de Agra. Ute teve mais uma de suas idéias. Organizar um almoço para todo o pessoal com os mantimentos que carregamos. A idéia era parar o caminhão num lugar tranqüilo, tirar a grande mesa, cadeiras, panelas e tudo o mais e fazer uma refeição legal. O lugar escolhido foi a entrada da cidade turística de Fatehpur Sikri, onde há uma multidão de vendedores e pedintes esperando os turistas para abordá-los.

Como eu não participo dessas refeições coletivas, posso apenas me divertir com a situação. Enquanto almoça, o pequeno grupo é cercado por dezenas de crianças e adultos vendendo tudo que podem: frutas, colares, camisetas, cartões-postais, e as formas mais variadas de artesanato. Louise como sempre é a mais vulnerável aos apelos dos vendedores e dá atenção a todo mundo a ponto de não ter um segundo de descanso. É um verdadeiro bombardeio. Nos lugares turísticos da Índia, o jogo é duro, já deu para perceber.

Mas Fatehpur Sikri é um lugar superinteressante, uma extravagância da História. A partir do século XI os invasores muçulmanos começaram a penetrar na Índia vindos do Oriente Médio. Mas foi a partir de 1527 que a dinastia Mughal estabeleceu o controle do subcontinente e passou a construir uma série de monumentos que ainda hoje fazem a delícia dos visitantes. Dotados de bom gosto e apreciadores das artes, os seis imperadores da dinastia deixaram uma herança de belos palácios, fortes imensos e mesquitas grandiosas. O império Mughal só viria a se desfazer na primeira metade do século XVIII.

Fatehpur foi construída pelo imperador Akbar em 1571 para ser a capital do império. Akbar foi talvez o mais iluminado dos imperadores da dinastia Mughal e tinha um genuíno interesse por religiões. Em um país onde o tema sempre foi predominante, ele chegou a estabelecer uma doutrina chamada "Deen Ilahi" que representava uma mistura dos aspectos mais positivos do islamismo, hinduísmo, do cristianismo e do zoroastrismo. Tudo isso se reflete na construção da cidadela onde há palácios espetaculares. Era neles que Akbar consumia seu tempo discutindo filosofia com sábios convidados ou na presença de suas mulheres.

Está tudo lá ainda hoje em ótimo estado de conservação: os palácios, as piscinas, os aposentos reais, as estalagens para 2 mil pessoas e os estábulos para os 2 mil elefantes e 1.200 camelos que eram mantidos na corte. Mas estranhamente, após apenas 14 anos de uso, a cidade foi abandonada pelos governantes e a capital transferida para Lahore. Especula-se que houve um problema no sistema de abastecimento de água para a área, feita através de canais, o que impossibilitou a presença de tanta gente vivendo no local. Vinte anos depois, Fatehpur Sikri seria uma cidade fantasma e assim permaneceu até a chegada dos turistas neste século, acompanhados dos vendedores ambulantes.

Viajar é um trabalho muito duro. Penso nisso mais uma vez na saída do Hotel Amar, ao entrar no caminhão, às 5h45. Estamos em Agra, no estado de Uttar Pradesh, e hoje a nossa tarefa é conhecer o Taj Mahal, a maior atração turística de toda a Índia, tido como uma das maravilhas arquitetônicas do mundo. Antes do nascer do sol já estávamos lá perto, escolhendo os melhores ângulos para as fotografias do enorme mausoléu construído pelo imperador Mughal Xá Jahan para a sua mulher, Mumtaz. É interessante como excentricidade arquitetônica, mas talvez eu esteja ficando meio saturado de "maravilhas". O Taj não me toca.

Agra é o centro da indústria turística indiana. Praticamente nenhum estrangeiro vem à Índia sem visitar a cidade para olhar o Taj Mahal. Com décadas de turismo já no seu currículo, desenvolveu-se na cidade a cultura do *hawker*. A palavra — que vem do inglês *hawk*, que significa "falcão" e "gavião" — descreve bem o sujeito que passa sua vida a perseguir o turista para extrair dele algo: pode ser uma gorjeta, uma venda qualquer, um serviço prestado sempre a preços inflacionados para o mercado local. Os *hawkers* existem onde há turistas e são uma praga em toda a Índia. Mas em Agra a situação é a pior de todas. Aqui não se pode dar um passo sem ser perseguido por um deles. Na porta do hotel, o sujeito levanta a vista e já vê mãos acenando: são motoristas de táxi, *wallahs* de motorriquixá, de ciclorriquixá, "guias turísticos", vendedores de comida. Ninguém nos deixa em paz. Parece bobagem, mas a experiência coloca uma nódoa em todo os deslumbre estético que seria o país sem os *hawkers*.

Depois do Taj e de tantos *hawkers*, eu me tranco no quarto e só saio à tarde em direção ao correio. Pego um riquixá para o forte mughal da cidade. O *wallah* se oferece para esperar e me trazer de volta e eu aceito. Mas, na volta, insiste em me levar a algumas lojas — onde ele receberia comissão se eu comprasse algo. É a mesma história de Delhi. Digo que não estou interessado em compras, mas a insistência é grande, o que acaba tornando o passeio um desconforto.

Passo algum tempo no bazar do acantonamento. Agra não é tão congestionada como outras cidades indianas e eu sinto vontade de ver mais gente. Decido conhecer a estação ferroviária da cidade, sempre um ponto legal para se ver multidões. Depois de muito regatear, consigo um riquixá que me levará lá por 10 rupias. Eu falo pausadamente em tom firme e escrevo os números num papel para evitar enganos:

— Eu não quero ir a nenhuma loja ou comprar o que quer que seja. Só quero ir à estação e voltar para o hotel. E você não vai insistir. São dez rupias. Você entendeu bem? Topa o preço? Tudo esclarecido?

O moreno franzino diz que sim várias vezes. Mas na volta começa a sugerir a ida a um bazar aqui, a uma loja ali, enquanto pedala pelo acantonamento já escurecendo. Eu recuso os convites e mando tocar direto para o hotel. Continuava a ter certa pena desses donos de riquixá. Era grande o esforço desse *wallah* para ganhar apenas dez rupias que equivalem a 30 centavos de dólar.

Quando chegamos ao hotel, estendo a nota de 10 rupias, mas ele se recusa a recebê-la. Diz que agora o preço é 100 rupias porque eu não quis olhar as lojas onde ele receberia uma comissão dos comerciantes. Rejeito o argumento. Tudo havia sido combinado com precisão no início. Mas dou 20 rupias, meio como gorjeta, o duplo do combinado. Ele recusa. Diz choroso que tem quatro filhos para criar e que não é justo o que estou fazendo. Subo para 24 rupias mas ele continua irredutível. São 100 rupias ou nada.

Não pago nada e subo para o quarto com uma dor na consciência. Será que estaria explorando estes pobres coitados pagando alguns centavos para utilizar-me deste meio de transporte colonial? Estaria ajudando a manter a deplorável estrutura de castas da Índia? Ou, ao contrário, estaria sendo vítima de uma chantagem bem armada? Na Índia a renda *per capita* anual é de 350 dólares e eu estava pagando 60 centavos por apenas uma hora de trabalho. Nada mau. Além disso, este era o preço cobrado em Amritsar onde a mentalidade do *hawker* não é tão aparente.

Sou por princípio contra gorjetas. Acho que elas corrompem as relações sociais e prejudicam a economia, criando duas classes de favorecidos: a dos que podem dar gorjetas e recebem um tratamento preferencial e a classe dos que desempenham atividades que recebem gorjetas e acabam ganhando, injustamente, mais do que outros trabalhadores. Pagar um preço além do normal em um país como a Índia não resolve o problema da pobreza crônica. Ao contrário, cria uma classe de privilegiados e estimula o desnível econômico. E onde há desnível econômico grande há conflito social e violência como no Brasil. Apesar dos problemas, a Índia é um exemplo claro de uma sociedade muito mais pobre, mas sem a tensão social presente nas ruas brasileiras. Justamente porque não existe uma classe média que consome abertamente pela televisão, a despeito de uma multidão de despossuídos.

Eu pensava sobre tudo isso ao voltar à rua para comprar uma garrafa de água mineral. O *wallah* choroso ainda está por perto e se aproxima novamente. Eu faço a última oferta: pago 30 rupias, é pegar ou largar. Ele aceita, seu rosto moreno se ilumina e com um sorriso ele volta à carga:

— Quer ir de riquixá a um restaurante para jantar? Tem umas lojas abertas à noite também.

15 — Filhos de Deus, Vacas Sagradas

A ESTRADA QUE PARTE DE AGRA em direção ao sul é cercada por uma vegetação rasteira muito densa, numa região cheia de barrancos conhecida como Ravinas de Chambal. Estamos na rodovia 3 rumo ao estado de Madhya Pradesh. Nesta manhã tranqüila de viagem, eu aproveito para ler um pouco sobre a Índia e me surpreendo com o quanto tenho aprendido nos últimos dias. Mas ao mesmo tempo é impressionante o número de aspectos que vão passando despercebidos na viagem. A Índia é um país de território grande, equivalente a quase metade do Brasil, tem a segunda maior população do mundo e uma diversidade de culturas inigualável. Muita informação e riqueza cultural para apenas algumas semanas. Uma primeira visita serve apenas como introdução ou para despertar a curiosidade.

Depois de parar para o almoço em Gwalior — uma cidade cheia de lugares interessantes que acabei não tendo tempo para ver —, pegamos uma estrada menor em direção a Jhansi. Passamos pelos incríveis templos de Datia. Vistos da estrada, parecem estar tomados pela vegetação. Chegamos no final da tarde e hoje é meu dia de fazer a faxina no ônibus.

Cumprida a tarefa, ando pelo centro de Jhansi e compro uns docinhos indianos numa confeitaria. Nestas cidades sem muitos atrativos especiais é que é gostoso observar a vida passando normalmente, a forma como as pessoas se vestem.

Ainda me surpreendo maravilhado com a presença de mulheres nas ruas, com cabelos longos, saris maravilhosos e barrigas de fora. É refrescante depois da temporada no mundo muçulmano. É engraçado que, ao contrário do Paquistão, na Índia todos os homens se vestem como no Ocidente. Mas as mulheres compensam a concessão masculina ao padrão ocidental, caprichando no uso do sari e do *shalwar qamiz* com um lenço elegante no pescoço.

É curioso perceber que aquele tipo físico identificado como indiano em Londres (homens calvos de testas grandes, lábios finos e pele ligeiramente morena) não é a maioria aqui. Na região central da Índia, pelo menos, as pessoas parecem bem mais morenas.

Noto também que nesta área há muito mais letreiros escritos em hindi do que em Delhi, onde quase tudo está escrito também em inglês. Começo a decifrar algumas coisas no alfabeto devanagari usado pela língua hindi. Ao contrário dos alfabetos arredondados usados em línguas do sul do país como telugu e malaialam, não acho o devanagari bonito esteticamente. Mas é ótimo que aqui ele seja mais usado. Terrível seria o dia em que línguas como estas desaparecessem e em que houvesse uma padronização geral. Além disso, o uso de alfabetos diferentes em outdoors, lojas e placas de trânsito aumenta muito o exotismo do país.

Jhansi acabou sendo uma parada tranqüila num hotel simples, mas com um bom ventilador. Na manhã seguinte, saí bem cedo para fotografar os cinemas do centro. A cidade parece ser úmida e quente demais. Partimos de manhã em direção a Khajuraho.

Hoje a nossa parada matinal é num local muito agradável. Orchha desempenhou um papel importante como reino rajaputro e chegou a ser destruída várias vezes durante o período Mughal. Mas numa época de paz, em 1606, o líder local chegou a erguer um palácio inteiro apenas para receber o imperador Jehangir. O Jehangir Mahal foi usado durante apenas um dia e depois foi mantido como recordação. A cidade tem também templos hindus interessantes. No centro há um terminal dos veículos conhecidos como *tempo* que faz as delícias dos curiosos em automóveis. O *tempo* é uma outra excentricidade indiana, um veículo grande de três rodas que tem um chassi bicudo e serve de lotação em algumas áreas do país.

Chegamos a Khajuraho, a cidade internacionalmente conhecida por sediar a maior quantidade de templos com esculturas eróticas de toda a Índia. Hoje eu invento uma estratégia para me livrar dos *hawkers*. Não falo inglês e sou mudo. Parece funcionar e eu consigo entrar em paz no parque construído em torno do principal grupo de grandes templos hindus.

Já foi dito que a Índia funciona para ocidentais como um grande supermercado de religiões, onde o interessado percorre os corredores escolhendo uma crença aqui, uma fezinha ali, um ritual adiante. Confesso que eu não me incluo entre as pessoas que chegam ao país em busca de respostas místicas. Mas por outro lado reconheço na religiosidade um dos aspectos mais fascinantes de uma viagem ao Oriente. Desprezar esse aspecto seria rejeitar toda a experiência indiana e por extensão toda a experiência na Ásia.

Khajuraho é um dos grandes monumentos da religiosidade indiana. Entre os anos de 950 e 1050 da nossa era, mais de 80 templos foram construídos pelos governantes da dinastia dos Candellas que dominava a área. Atualmente, 22 desses templos ainda estão de pé encantando os visitantes.

A grande fama dos templos deve-se às esculturas eróticas presentes em alguns deles. Mas ao chegar ao local, diante da grande quantidade de templos e das milhares de belas esculturas, o erotismo passa a ser um detalhe, talvez um por cento de toda a beleza contida nos templos hindus. Estimulado pela lembrança do filme *Passagem para a Índia*, eu imaginava os templos cercados de mato e de macacos. Nada disso. Em torno do principal grupo de templos foi construído um parque muito bem cuidado onde se paga para entrar e a observação dos templos não envolve nenhum risco.

Foi a localização remota de Khajuraho que ajudou na preservação desses templos. Fosse a cidade localizada mais perto dos grandes centros, teria certamente sido destruída por governantes muçulmanos que dominaram a Índia por mais de dois séculos. Nada existe de mais contraditório do que o islamismo, com sua rejeição a imagens e gravuras que mostrem o ser humano, e a idolatria hindu a estátuas de pessoas e animais.

A grande beleza do local está nas esculturas que ornamentam a parte exterior dos templos. São centenas de estátuas representando em detalhes figuras da mitologia oriental como as *apsaras* (as belas ninfas celestiais), *sardulas* (mistura de animais ferozes e seres humanos) e as *mithunas* (figuras eróticas em atos sexuais inspirados no *Kama Sutra*). Essas estátuas foram talhadas na pedra e parecem ser parte integral do exterior dos templos. Apenas no templo Kandaryia Mahedev, um dos maiores do conjunto, com 31 metros de altura, um arqueologista inglês do passado contou 872 esculturas.

A grande pergunta que todos fazem é: por que estes templos foram construídos com figuras eróticas? Há várias teorias. Uma das mais plausíveis é a que afirma que estas são imagens influenciadas pelo tantrismo, corrente do budismo que incorpora elementos hindus e pagãos. O tantrismo prega a satisfação de desejos básicos do ser humano (como o sexo, por exemplo) como forma de se atingir o nirvana, ou paraíso.

À tarde, peguei um riquixá e fui visitar os templos do setor leste, que estão sendo restaurados. Por estarem situados numa área mais aberta, longe das pessoas e de traços da civilização, provocam um efeito ainda mais sugestivo nos visitantes.

Esse grupo de templos fica próximo à verdadeira cidade de Khajuraho, onde não há hotéis e a população vive ainda uma vida simples e tradicional. Convidado por um comerciante local, eu entro nas ruelas que dividem os bairros da cidade e vou até a casa dele. No teto da casa há um terraço de onde se vê toda a área. O comerciante me explica que, apesar da cidade ser pequena, existem quatro bairros nos quais a população de cada casta vive separada. E até quatro poços artesianos onde as castas colhem água separadamente, para evitar qualquer contato.

A estrutura de castas é um dos aspectos mais assombrosos da Índia para os olhos de um estrangeiro. Contam os historiadores que o sistema foi criado junto com a religião hindu num passado distante, talvez há cerca de 4 mil anos. Em teoria, o sistema se baseia nos conceitos de carma e de reencarnação. As boas ações praticadas durante a vida diminuem o carma e permitem uma reencarnação numa casta melhor onde o indivíduo vai sofrer menos na vida seguinte. Más ações durante a vida funcionam no sentido contrário, aumentando o carma e o fazendo regredir na escala social. Uma eventual eliminação de todo o carma levaria ao mocsa, ou salvação, que vem a ser o rompimento do ciclo de nascimento, vida terrena e morte.

Acontece que, quando o sistema foi colocado em prática, alguém deve ter dito: eu sou da casta superior, você é da inferior. E estes foram os brâmanes, ou sacerdotes hindus, que na época controlavam o poder político e decidiam o que era certo e errado. Quatro castas básicas foram instituídas: no topo da escala estavam os brâmanes, que eram os sacerdotes. Em seguida vinha os xátrias, que eram soldados e administradores. Depois os vaixás (artesãos e comerciantes). E por último os sudras (fazendeiros e camponeses). Com o tempo, essas quatro castas básicas se subdividiram em cerca de 3 mil subcastas, subdivisão mais ou menos baseada na atividade econômica de cada indivíduo. Um membro da casta vaixá, por exemplo, que trabalhava com ouro, se considerava mais puro do que um vaixá que trabalhava com prata. Este, por sua vez, se considerava acima do que trabalhava com cobre, e assim por diante. O sistema de castas passou a ser um esquema pelo qual um setor social só se relacionava abertamente com pessoas ligadas à sua profissão. As castas regulamentavam os casamentos, o tipo de educação, de moradia, enfim, todas as relações sociais. Os considerados superiores eram temidos e os considerados inferiores, desprezados.

Abaixo de todas as classes vinham ainda os "intocáveis", gente considerada tão impura que, se houvesse algum contato com eles, o hindu teria de passar por um longo processo de purificação para voltar ao convívio social. Os intocáveis não tinham casta e eram completamente excluídos da sociedade, desempenhando os trabalhos considerados mais indignos e sujos. No movimento pela independência da Índia, Gandhi passou a chamá-los de *Harijans*, ou filhos de Deus, e a defender a sua integração social.

A instituição da república em 1947 oficialmente aboliu o sistema de castas, mas o problema na prática permaneceu. Os intocáveis hoje preferem ser chamados de *dalits* — o que significa oprimidos. No entanto, através de leis de reserva de lugares nas escolas e nos empregos públicos, eles começam a conquistar posições de destaque na sociedade. Em 1997, Kocheri Ramam Narayanam, um *dalit*, foi eleito presidente da Índia — cargo que no país tem um poder apenas simbólico. Mas no interior os problemas permanecem e surtos de violência entre castas surgem esporadicamente em várias partes do país.

Curioso que toda vez que o tema vem à tona em conversas com indianos, eles dizem que são brâmanes. É certo que dados relativos à época da independência mostravam que a maior parte da população pertencia à casta superior. Mas eu me pergunto se os indianos com quem converso são realmente brâmanes ou se querem apenas impressionar os estrangeiros com essa afirmação. Pode ser também que apenas os brâmanes se sintam livres o suficiente para conversar sobre esse tema, um assunto muitas vezes considerado tabu na Índia.

Mas nem só de hinduísmo vive Khajuraho. Dos muitos templos da cidade, três pertencem ao jainismo, uma religião que é exclusiva da Índia. A religião surgiu por volta do ano 500 a.C. como um movimento reformista no hinduísmo e muito influenciada pelo budismo. Os jainistas acreditam na reencarnação e no carma, mas rejeitam o sistema de castas. Na procura da salvação, eles praticam a *ahimsa*, que é a reverência por todas as formas de vida. Por isso, são rigorosamente vegetarianos.

Dentro do jainismo, a corrente dos *digambaras* prega um desprezo tão intenso aos bens materiais e a qualquer tipo de ostentação que os monges dessa tendência andam nus e são geralmente confinados aos monastérios. O objetivo é a libertação de qualquer vaidade pessoal através do despojamento total. No templo de Shanti Nath, em Khajuraho, vimos alguns desses monges. Para não ficarem totalmente nus, no templo eles andam com um pano enrolado ao corpo como se estivessem saindo do banho enrolados em uma toalha.

Os adeptos do jainismo capricham na construção de templos. Na verdade, construir templo, para eles, é uma forma de melhorar o carma. No estado de Gujarat, há em Shatrunjaya um complexo com nada menos do que 863 templos da religião. Havia visto por fora alguns templos jainistas, em Delhi, mas não tive tempo de entrar. Em Khajuraho, fiquei sabendo que por fora as construções religiosas não são mesmo atraentes e às vezes ficam escondidas por uma parede normal. A beleza está mesmo por dentro, o que reflete a crença da religião em relação ao ser humano.

O templo de Shanti Nath foi construído há apenas cem anos, é simples mas muito bem cuidado. Tem uma *dharamsala* (albergue) para abrigar fiéis. Enquanto visitamos o templo, ouvimos cânticos religiosos belos, com se vindos de uma outra época, de outro mundo.

A minha bagagem já está pesando mais nas últimas semanas com os cassetes que venho comprando pelas cidades onde passo. Muita coisa boa, mas também muita coisa ruim. Na Índia, no entanto, a situação musical muda radicalmente. Aqui é a terra da sitar, esse instrumento que fez muitas cabeças no Ocidente, a partir do momento em que os Beatles o introduziram no rock. Tenho visto na TV algumas apresentações de música clássica, sempre espetaculares. Ravi Shankar já vem ocupando com suas *ragas* o meu walkman nos últimos dias, mas hoje é dia de conferir a coisa ao vivo.

Noite tranqüila em Khajuraho e eu pego um riquixá para o Hotel Oberoi, onde vai haver uma apresentação de sitar. Passando ao lado dos templos iluminados à noite, posso sentir todo o peso histórico do local. Khajuraho é como Palmira, na Síria, um cenário histórico tão perfeito que é como se uma civilização antiga, com todos os seus fantasmas, saltasse dos livros de História e se concretizasse, diante dos olhos.

O Hotel Oberoi é muito luxuoso, com um hall de entrada grande, onde sentam-se no chão um tocador de sitar e um de tabla. O citarista tem a mesma função de um pianista num hotel ocidental, isto é, entreter os clientes. Só há uma diferença: a música tradicional indiana está longe de ser o *muzak* tocado em salões de hotéis do Ocidente. Exige concentração e leva a um estado quase de transe entre músicos e platéia.

A platéia no caso sou somente eu. O resto é um grupo de israelenses que passa para lá e para cá. Alguns se detêm por alguns minutos, mas poucos entram no clima e ninguém fica o tempo todo. O tocador de sitar parece acostumado com a falta de atenção e não se perturba. O grande prazer para ouvidos ocidentais é que a música clássica indiana acaba reunindo as melhores características de dois estilos da música ocidental: a energia e solos do rock e a improvisação e liberdade do jazz. Evidentemente, o resultado e a sonoridade são completamente originais em relação ao Ocidente. A música clássica indiana passa uma sensação de música eventual, acidental, progressiva, mística, enfim, uma bela e refrescante sensação de liberdade.

Depois do show eu vou falar com o músico. Bal Ram Shukla parece satisfeito com o interesse de um estrangeiro pela música de seu país. Pergunta se eu sou músico. Diz que o seu mercado de trabalho são os hotéis de luxo, onde se apresenta todas as noites. Esporadicamente acontecem festivais nos quais ele também toca. No mais, sobrevive dando aulas de sitar e tem uma loja de instrumentos musicais.

Deixamos Khajuraho ao amanhecer para um dia que promete ser longo. Passamos na imediações do Parque Nacional de Panna onde, segundo nos informaram, haveria tigres soltos. Não vimos nenhum. Na cidade de Panna, paramos para o café da manhã em um hotel. O garçom nos atendeu contente. Provavelmente para agradar, mandou soltar no sistema de som um disco techno a toda altura. Não, meu amigo, desliga isso aí. Sou o primeiro a reclamar.

Em Panna, vimos algumas casas de classe média, talvez as primeiras desde que chegamos à Índia. Havia belas crianças indo para a escola, todas de banho tomado e farda. Muitas eram levadas em ciclorriquixás. Cheguei a contar 12 crianças sendo puxadas pelo mesmo *wallah*.

Madhya Pradesh — que significa estado do centro — é realmente o coração da Índia e o maior estado do país, cheio de lugares remotos e distantes entre si, ligados por estradas ruins, cheias de buracos.

À medida que avançamos pela planície rumo ao leste do estado, aumenta assustadoramente o número de pessoas que urinam e defecam na beira da estrada. Quer dizer, nesta área, ninguém procura mais uma moita para se esconder, tudo é feito à vista dos carros. Nada escandaliza na Índia, mas até então não tínhamos visto isso com tanta intensidade.

A paisagem humana vai ficando um pouco diferente também. Começo a observar muitos homens e crianças que raspam a cabeça, deixando apenas um pequeno rabo-de-cavalo na parte da nuca. Algumas crianças usam uma pintura preta em torno dos olhos, como acontece em áreas do Paquistão. O norte de Madhya Pradesh parece desprovido de qualquer infra-estrutura de hotéis e restaurantes. Paramos para comer à beira da estrada, longe de todos. Mas em pouco tempo somos cercados por um pequeno grupo de homens, mulheres e crianças que vão se chegando da vila mais próxima ao saber que um caminhão com estrangeiros havia parado ali. Observam tudo silenciosamente, riem timidamente dos nossos hábitos e vestimentas e vão embora.

Já estava anoitecendo quando chegamos às montanhas que fazem a fronteira norte com Uttar Pradesh e não vimos quase mais nada no caminho até Varanasi. Próximo à cidade, cruzamos o Rio Ganges e havia fumaça no ar, possivelmente de fogueiras para a cremação de corpos. Entramos em Varanasi depois de 14 horas de viagem e 418 quilômetros de estradas ruins. Era uma noite escura, esfumaçada e caótica na cidade de 1 milhão e 300 mil habitantes. Todo mundo torcia para que tudo desse certo e que o hotel fosse legal.

Varanasi, a antiga Benares, é considerada pelos hindus como uma das sete cidades mais santas do país. Fica à beira do rio sagrado, o Ganges, e é para lá que vão doentes e velhos de todo o país. Morrer em Varanasi significa para o hindu devoto estar a meio passo de uma encarnação melhor na próxima vida. Eu vinha lendo cópias de recortes de jornais com histórias assustadoras sobre o Ganges. Este é o rio mais poluído da Índia, e no ponto em que ele passa em Varanasi já recebeu detritos de todo o país.

É ainda noite fechada e nós já estamos amontoados em quatro motorriquixás que nos levam ao Rio Ganges. Queremos aproveitar o amanhecer para observar os peregrinos que se lavam nos *ghats* sagrados, as escadarias que dão acesso à água do Ganges.

Antes de chegar aos *ghats*, passamos pelas ruelas da cidade antiga onde Varanasi acorda para mais um dia. Ao amanhecer estas cidades do subcontinente parecem mais pobres, caóticas e possuidoras de uma tristeza que eu não sinto em outras horas do dia.

Fico em pé no *ghat* Kerak durante mais de uma hora. Meus amigos tomam um barco para percorrer o rio e observar o movimento. Prefiro ficar vendo o movimento em terra firme. Passam barcos com turistas. Há um silêncio profundo entre eles. É como se todos estivessem chocados com o que vêem, a Índia no seu aspecto mais exótico e bizarro.

Perto de mim, umas 20 mulheres fazem pequenos bonecos de barro que representam deuses. Depois de formados os bonecos, elas começam a jogar um talco sobre as pequenas estátuas enquanto cantam e dizem orações. Jogam mais flores, óleo, ouvem um sermão da líder e continuam a adorar os pequenos bonecos de barro. Um sujeito escova os dentes com a água do rio. Eu me lembro do artigo de jornal sobre a situação daquela água. É preciso muita fé.

Varanasi exemplifica os aspectos mais primitivos do hinduísmo. Esta religião que tanto influenciou a contracultura ocidental é muito mais estranha do que se possa imaginar à primeira vista. O que primeiro chama atenção é o número de deuses presentes no hinduísmo. São milhares Mas a religião é dominada por três grandes deuses. Brahma é o criador de tudo. Vishnu é o preservador ou sustentador, e Shiva é o destruidor e também o criador (no sentido da reprodução da espécie humana). Cada um desses deuses é casado com uma deusa, tem filhos, e se locomove sobre um veículo que geralmente é um animal ou um pássaro.

Vishnu, por sua vez, teve nove encarnações ao longo dos tempos. Sua sétima encarnação foi Rama, a oitava foi Krishna. Em cada uma dessas encarnações teve também suas mulheres, filhos etc. Tudo isso forma a grande família de deuses hindus. Siddhartha Gautama, um príncipe iluminado do norte do país que se tornou o Buda e acabou dando origem a uma outra religião, foi também oportunamente incorporado à cosmologia hindu e se tornou a nona encarnação de Vishnu. Segundo a crença hindu, Vishnu também teve no passado encarnações como Varaha (uma espécie de porco selvagem) e também como Vamana (um anão). Por toda a Índia há templos dedicados a todas essas encarnações e a todas essas figuras. Em Khajuraho, por exemplo, há templos dedicados ao porco e ao anão como manifestações de Vishnu.

A cosmologia da religião hindu é extremamente complexa e foi descrita em escrituras como os Vedas, escritas há 3 mil anos. Pode-se dizer, no entanto, que ela se baseia em três crenças fundamentais: a idéia do carma que gera o sistema de castas; a cremação dos mortos; e a *puja*, ou ritual de adoração, que consiste em ir ao templo, jogar comida e flores na estátua do deus ali representado e caminhar em torno do "altar" no sentido horário.

Varanasi é uma exibição viva de todas as práticas hindus. À margem oeste do Ganges, os devotos banham-se nas suas águas para se livrar dos pecados; em alguns *ghats*, os mortos são cremados abertamente; os templos atraem peregrinos de todo o país. E as vacas circulam pelas ruelas do centro, ajudando a aumentar a confusão do trânsito. Contam os indianos mais críticos que a adoração à vaca teve origem numa época em que o animal estava ameaçado de extinção no país. Os governantes da época, preocupados com o problema, teriam espalhado entre a população o boato de que a religião proibia a matança da vaca, porque ela era um animal sagrado. A partir de então, nunca mais o animal foi caçado e hoje vacas circulam por todos os lugares. O *status* privilegiado, no entanto, não ajuda muito a sua situação. Muitos dizem que as vacas da Índia vivem maltratadas, comendo lixo pelas ruas. E realmente a aparência delas não é das mais saudáveis.

Visitamos o templo de Durga, deusa que representa a manifestação terrível de Parvati, a mulher de Shiva. O templo, todo pintado em vermelho escuro, é conhecido como Templo do Macaco, devido à grande quantidade de macacos na área. Durante certas festas, os devotos praticam ainda o sacrifício de bodes e cabras nesse templo. Ao lado, há um tanque pútrido que é considerado sagrado pelos indianos. Fomos também ao Templo de Tulsi Manas onde há nas paredes ilustrações do *Ramayana* – a história de Rama; e ao Templo Bharat Mata, ou Templo da Mãe Índia, que em vez dos deuses tem como atração um grande mapa em alto-relevo do país. O templo foi inaugurado pelo Mahatma Gandhi como símbolo da reconciliação no país.

Voltamos ao Hotel de Paris onde estamos hospedados. Situado no acantonamento, o hotel é espaçoso e tem aquele jardim imenso próprio das construções coloniais deixadas pelos ingleses. O restaurante tem preços inflacionados, mas parece agradável. Até que vemos passar um grande rato pelo canto da parede, como a confirmar a fama de sujeira que Varanasi tem. Quando Lois, uma das senhoras neozelandesas, chega à mesa, eu conto o que acabou de acontecer.

— Engraçado — diz ela —, eu ainda não vi nenhum rato na Índia.

Ao que Harry retruca:

— Então você não tem freqüentado muito os restaurantes por aqui.

À tarde visitei sozinho duas universidades: a Sanskrit University, onde o sânscrito, a língua clássica da Índia, ainda é ensinada. E a Benares Hindu University, com um enorme *campus* que nos leva de volta à primeira metade do século. É um *campus* característico, com ruas largas e o mato crescendo em torno dos edifícios que alojam os cursos universitários. Nas ruas, algumas bicicletas e o incrível Ambassador sempre presente. Na Faculdade de Música fui atendido por funcionários de camisa branca por fora e óculos de armações pesadas, sentados em birôs escuros, com máquinas de escrever, grandes carimbos e pilhas de papel. Novamente me vem à memória os filmes de Satyajit Ray. A Índia não mudou muito nos últimos 30 anos. Um funcionário da faculdade, muito educado, finalmente me esclarece uma dúvida:

— Não, a escola de música de Ravi Shankar não existe mais — informou impassível. — Mister Shankar realmente morou em Varanasi, mas agora vive mais na Alemanha e sua escola foi fechada. Hoje funciona lá uma fábrica.

Volto ao centro da cidade para mais uma dose de caos urbano. Confesso que já estou viciado nesta confusão divertida das cidades do Oriente. No centro de Varanasi, procuro um tal de Centro Musical Internacional do qual ouvira falar. Entro por ruelas muito estreitas e imundas, andando rápido para me livrar das moscas e da sujeira, e finalmente acho o centro, onde durante algumas noites se realizam shows de música clássica indiana.

Saio dali voando para ir ver o pôr-do-sol no Dasaswamedh Gaht, a principal escadaria de acesso ao Rio Ganges. Mas para chegar ao *ghat*, tenho de percorrer um verdadeiro corredor de pedintes, mendigos, aleijados, doentes de todos os tipos que pedem esmolas e vivem da ajuda dos fiéis que visitam o local. Lá nas escadarias, muitos *sadhus*. Este é um dos personagens mais curiosos da fauna indiana. Eu havia visto alguns em Agra e ao longo das estradas, mas é em Varanasi que eles se congregam. O *sadhu* é um homem que decide abandonar tudo, profissão, família, amigos e sair por aí em busca da iluminação espiritual. Geralmente usam cabelos grandes e andam de pés descalços, sem camisa, usando apenas uma espécie de fralda esfarrapada. Pintam o rosto e a testa com *tika*, um pó sagrado que, pelo formato do desenho e pela cor, indica as afinidades religiosas do *sadhu* em relação aos deuses do hinduísmo. Os *sadhus* seguidores de Shiva carregam também nas mãos um longo tridente.

Nos *ghats* de Varanasi, os *sadhus* se misturam a mendigos, turistas, devotos em geral, vendedores de haxixe e a toda uma fauna de alternativos ocidentais que participa da grande viagem indiana da contracultura. Revejo em Dasaswamedh, escorado num barco na escadaria, um sujeito que eu havia visto em Khajuraho e que estranhamente me cumprimentou lá. É um cara branco e alto, de cabelos grandes já brancos e que se veste apenas com um pano também branco em torno do corpo magro. Tem uma longa barba e aquele jeito de quem largou tudo há 20 anos e nem se lembra mais de onde veio. Pela forma como se veste, pensei que ele fosse adepto do jainismo. Aqui o vejo batendo papo com os *sadhus*, como se fosse um *sadhu* ocidental.

Já anoiteceu, mas eu ainda tenho de ir a uma loja que vende instrumentos musicais. Não posso acrescentar uma sitar à minha bagagem, mas não custa nada ver os preços. Procuro a Sur Sangam, tida como a melhor loja de música de Varanasi. Entro em vários becos estreitos, escuros e ladeirosos à procura da loja na cidade antiga. Disputo o pequeno espaço dos becos com adultos, crianças, montes de lixo, fezes, e com as vacas. Às vezes tenho de me encostar na parede para evitar as vacas que vêm em sentido contrário, sentindo-se donas de todo o espaço. Quando já estou desistindo de tanto andar, encontro um *hawker* que me leva até a loja. Pensei que não sairia mais desse labirinto. Vejo os instrumentos e — como acabo não comprando nada — evidentemente o meu "guia" não me acompanha no caminho de volta. Ele fica lá na loja tentando arrancar uma comissão de qualquer jeito. Por milagre, consigo superar os becos e encontro meu caminho de volta. A rua principal está mais engarrafada do que nunca, naquela mistura cômica de animais e veículos emaranhados nos cruzamentos.

É minha última noite na Índia. Não deu para fazer tudo que eu queria. Tem sido tudo tão belo e divertido. Eu teria de morar um ano neste país. Mas houve tempo ainda para ver mais um filme de qualidade Z e subir num riquixá incerto que me levaria por ruas desconhecidas noite adentro, até chegar ao Hotel de Paris. Na Índia, o improvável acontece e as coisas acabam dando certo. Deus existe.

A estrada 29 nos leva para o norte de Uttar Pradesh em direção ao Nepal. É uma manhã de paisagens planas e verdes, plantações de arroz, nenhum sinal de classe média. Na estrada, somente ônibus e caminhões, nenhum carro particular. Paramos para almoçar em Gorakhpur, uma cidade famosa pela quantidade de moscas e como ponto de trânsito para o Nepal. No restaurante, cruzamos com mochileiras européias. Ali perto fica Kushinagar, tido como a cidade onde morreu Siddhartha Gautama, o Buda. Mas não há tempo para desvios. Seguimos em frente, rumo ao norte, passando por cidades onde cada vez eu vejo mais muçulmanos, e até coisas escritas em urdu, nas paredes. É como se fosse para reforçar a imagem de que na Índia nunca se sabe o que pode acontecer, nem que mistura cultural se vai encontrar na cidade seguinte.

A fronteira com o Nepal fica no centro de uma pequena cidade que se chama Sunauli. O posto de carimbo de passaportes é numa casa na rua principal que parece mais ser uma lojinha. Na vizinhança se vende de tudo, roupas, caçarolas, secos e molhados. Fazemos uma fila para ter os passaportes carimbados e o funcionário indiano se despede de todos com um aperto de mão. A população cruza de um lado para o outro sem nenhum controle. Para nós, abre-se uma porteira e o caminhão entra oficialmente no Nepal já no escuro da noite.

A paisagem humana muda no mesmo instante. Passo a ver gente com feições orientais, olhos puxados como chineses, em meio ao tipo mais escuro parecido com os indianos. Trocamos algum dinheiro e seguimos quatro quilômetros para o norte até o Hotel Himalayan Inn, na cidade de Bhairawa. Esse hotel ficaria gravado para sempre na minha memória, porque aqui um recorde foi batido. Depois de encomendar um jantar, tive de esperar uma hora e 40 minutos para ser servido. Tempo no qual prepararam apenas uma sopa e arroz com passas. Reclamei muito, chamei o gerente, ameacei ir embora. Não adiantou. Apenas os sorrisos humildes se transformaram em incompetência sisuda. Mas não há problema. Afinal de contas, superamos a Índia e estamos a caminho de Kathmandu.

16 — O Caminho para Kathmandu

De manhã cedo, crianças com traços orientais em meio a algumas crianças morenas cercam o caminhão para pedir as tradicionais canetas. Logo que deixamos o Hotel Himalayan Inn em Bhairawa, o Nepal começa a exibir sua beleza. Para trás haviam ficado a confusão e a pobreza da Índia. Ainda na planície onde fica Bhairawa, na região do Terai, as casas têm tetos bem inclinados como no Oriente, são espaçosas, com dois pavimentos. A natureza aqui é bela, suave, verde. O povo se veste de forma diferente. Muitos homens usam na cabeça o *topi*, aquele chapeuzinho de tecido sem aba. As mulheres vestem roupas meio tribais, coloridas, que lembram a América Central, e algumas usam um pano enrolado no busto, uma espécie de xale, devido ao frio. Os cabelos são escuros, longos e lisos, geralmente com um rabo-de-cavalo.

Seguimos para o norte até a cidade de Butwal e neste ponto viramos para o leste, pegando a rodovia Mahendra para contornar o Parque Nacional Real de Chitwan. À nossa esquerda, grandes arrozais e, mais para o norte, as montanhas da cadeia do Himalaia com nuvens mais baixas do que os picos. À beira da estrada caminham mulheres carregando sobre os ombros grandes cestos feitos de palha. Algumas entram na floresta para colher algum tipo de fruto. Outras carregam imensos feixes de capim sobre os ombros.

Passamos pelo centro de algumas cidades movimentadas com muita gente nas ruas, cinemas e uma boa demonstração do visual urbano do país nos cartazes escritos em nepali, nos primitivos outdoors publicitários em Bharatpur. Depois da cidade de Tadi Bazaar, viramos para o sul, cruzamos as águas de um rio pequeno onde não havia ponte e às 12h30 chegamos em Sauhara, um vilarejo de apenas 600 pessoas, à beira do Rio Terai e do Parque Nacional de Chitwan.

O Rhino Lodge, onde ficamos, é uma coleção de quartos em torno de um pátio tranqüilo com uma palhoça à beira do rio onde não há barulho e tudo é muito calmo. Somos recebidos por um grupo de rapazes que ali trabalham:

— Namaste! Namaste! — dizem eles, de mãos postas, se curvando ligeiramente. É a saudação tradicional nepalesa, que rapidamente também adotamos.

A expressão *namaste* significa literalmente "eu saúdo o Deus que existe em você", mas na prática funciona como o *aloha* no Havaí: serve para dizer bom dia, boa tarde, boa noite, olá, como vai, até logo, obrigado, foi um prazer, tchau, adeus. Essa expressão tão singela, usada pelo educado povo nepalês, é também largamente usada pelos *hawkers* para atrair a atenção dos estrangeiros para as suas mercadorias. Rapidamente — da mesma forma que o *aloha* — a palavra se desgasta aos ouvidos dos forasteiros e passa a ser mais um inconveniente do que uma cortesia.

À tarde fomos levados por um guia local para um passeio pelo vilarejo. A população desta área é composta na maioria pelo povo tharu, uma minoria étnica de pele morena, olhos levemente puxados e feições ocidentais.

Até o começo da década de 50, o Vale do Terai era uma região infestada pela malária e apenas os tharus conseguiam sobreviver aqui, porque tinham desenvolvido uma espécie de imunidade à doença. Com o controle do mosquito transmissor, o vale foi invadido por pessoas de todo o Nepal em busca de suas terras, propícias à agricultura. Hoje misturam-se aos tharus gente de praticamente todas as dezenas de etnias que compõem o reino do Nepal.

Visitamos uma casa dos tharus, onde as janelas são curiosamente muito pequenas. Esse tipo de arquitetura tradicional tem duas funções: primeiro manter dentro da casa a fumaça provocada pelo fogão a lenha como forma de afastar mosquitos. Depois, segundo a superstição dos tharus, janelas pequenas impedem a entrada de maus espíritos. Os tharus são animistas, mas um pouco influenciados pela religião hindu. Há um dia no calendário em que o uso de haxixe e maconha é liberado para todos os homens da tribo celebrarem um festival dedicado a Shiva.

Havia planejado dormir preguiçosamente até as 8h30 e acordar com os passarinhos cantando. Mas às 6 horas ligaram o motor de um gerador próximo ao meu quarto e o plano foi por água abaixo. Os companheiros de viagem saíram para passear de elefante dentro do parque e tentar ver os rinocerontes que habitam a área. Eu preferi passar um dia tranqüilo explorando a área de Sauraha e tentando ver gente. Tomo chá e como pãezinhos sozinho na palhoça à beira do rio e passo a manhã ouvindo música e organizando a bagagem.

À tarde, caminho pelo vilarejo, e vejo o caminhão Mercedes que está estacionado ali na entrada do hotel como se descansasse da longa viagem. Aproveito o tempo de sobra para entrar no caminhão e me lembro já com saudade dos bons momentos que passei ali dentro nas últimas 11 semanas: o primeiro dia na França (marcante como são os primeiros dias); a rápida Itália das auto-estradas; a travessia do Adriático vendo a Albânia ao amanhecer; a Grécia folclórica dos montes, jumentos e gente chata; a agradável surpresa das gentilezas na Turquia; a Síria dos exotismos e do culto à personalidade; a Jordânia bíblica, rica e eficiente; o Irã do experimento político-religioso radical; o Paquistão do caos total e do povo gentil; a Índia do carnaval religioso misturado aos *hawkers*. Faço as contas da quilometragem: 17.513 quilômetros até aqui. Parecia tudo tão complicado, mas vencendo um desafio a cada dia, estamos conseguindo chegar. O caminhão foi como minha casa ambulante durante este tempo. Uma casa onde eu tinha meus lugares preferidos e de cujas janelas eu vi coisas inacreditáveis.

No final da tarde, fui observar o pôr-do-sol que iluminava com tons espetaculares os picos nevados das montanhas da cordilheira. Fico tentando identificar o Annapurna entre aquelas montanhas incrivelmente altas. O jantar preparado pelos nepaleses acabou sendo um bufê excelente, com galinha e muito arroz. Depois fomos para a beira do rio assistir, sob uma iluminação precária, a uma apresentação de dança dos tharus. Era uma dança bem primitiva, onde somente homens cantavam e dançavam acompanhados de bastões de madeira. No final, animados pelo ritmo contagiante, quase todo mundo caiu na festa com os nativos.

Num rompante de energia, nós já estamos de pé às 6h30 para andar pelo mato observando os passarinhos de Chitwan. O Nepal, com um território de tamanho equivalente ao estado do Ceará, tem 800 espécies diferentes de passarinhos, mais do que os Estados Unidos e o Canadá juntos. Dessas espécies, 400 estão presentes em Chitwan. Mas o passeio é meio decepcionante. Vemos alguns passarinhos pequenos, mas em pouco tempo a coisa se torna entediante e eu volto para o hotel.

Logo chegou a hora de entrar no caminhão, para seguir viagem. Passamos pelos arredores de Sauraha onde mulheres locais trabalhavam na colheita do arroz. É a agricultura de subsistência que sustenta boa parte dos camponeses no país. Seguimos novamente para Tadi Bazaar, de onde nos dirigimos para o noroeste, já subindo as montanhas, e pegando uma estrada muito tortuosa e de trânsito lento. A beleza da paisagem não foi melhor aproveitada porque a altura e as curvas constantes me deixaram um pouco tonto. Havia no ar um misto de alegria por estarmos chegando e tristeza por aquele ser o último dia no caminhão. Deixaríamos a vida nômade em breve. E, apesar do desgaste, a vida na estrada tinha sido muito compensadora.

No começo da tarde, começamos a ver o vale de Kathmandu e, às 3h30, entramos na cidade. Estamos agora a cerca de 1.300 metros de altitude, uma grande diferença da altitude de Chitwan, que é de apenas 100 metros acima do nível do mar. A chegada foi atribulada, porque quase todo mundo tinha feito compras — sobretudo os tapetes do Irã — e os pacotes estavam estocados no caminhão. Como o hotel fica em uma rua onde o caminhão não pode entrar, tivemos de esvaziar tudo em outra área e seguir de táxi para o Hotel Garuda.

Conseguimos. Depois de 17.694 quilômetros, mais de uma dezena de fronteiras, um passaporte cheio de carimbos e 70 garrafas de água mineral consumidas somente por mim, estamos finalmente em Kathmandu. A comemoração será à noite, com um jantar. Mas antes há tempo para um rápido reconhecimento de campo.

Thamel, a área onde fica o hotel, foi uma enorme surpresa. Se me trouxessem de olhos vendados e me soltassem em Thamel, eu pensaria estar em Amsterdã, Edimburgo, ou qualquer lugar "hip" da Europa. A área é completamente ocidentalizada, com todas as comodidades da indústria do turismo. Bons hotéis e restaurantes, lojas de suvenir, livrarias vendendo revistas em inglês, pequenos supermercados e, é claro, muitos *hawkers*.

Mas não é exatamente o turista tradicional que chega à cidade. Kathmandu, com uma população de pouco mais de 400 mil habitantes, atrai basicamente dois tipos de visitantes: o pessoal esportivo que vem subir montanhas, fazer trekking, andar de caiaque, mountain bike e atividades do gênero. E o pessoal alternativo, que vem de mochila e bolsa de pano a tiracolo e que faz da cidade uma das paradas mais agradáveis na rota de viagens em torno do mundo.

No restaurante The Rum Doodle encontro a turma. O nome desse restaurante é inspirado no livro *The Ascent of Rum Doodle*, de W.E. Bowman, um clássico da literatura humorística inglesa que conta em tom muito sério a conquista do fictício Rum Doodle, a "montanha mais alta do mundo", por um grupo de aventureiros. O restaurante é um ponto de encontro de expedições que vêm ao local trocar figurinhas e comemorar. Nas paredes há enormes cartazes das expedições e uma cartolina grande em formato de um grande pé do Abominável Homem das Neves, que, segundo a lenda de Bowman, viveria também no Rum Doodle. Nessas cartolinas, todos os aventureiros deixam os seus autógrafos.

Comemoramos a chegada com cervejas e eu como um excelente tofu com legumes. Mas como nada é perfeito, colocam no som uma "I'll Always Love You", de Whitney Houston. Talvez por gostar da cantora norte-americana, Celene não acha graça quando eu digo "ter viajado 18 mil quilômetros somente para ouvir Whitney Houston num restaurante em Kathmandu". Tenho certeza e fé, no entanto, que surpresas mais excitantes devem estar reservadas para os próximos dias na capital do Nepal.

Kathmandu só pode ser o segredo mais bem guardado do Oriente. Eu chego a essa certeza ao passar a manhã resolvendo algumas coisas práticas no hotel e nas redondezas. Já em Thamel, à luz do dia, fico deslumbrado com a beleza das meninas ocidentais que circulam na área, todas no estilo hipongo. Aventurando-me pelas ruas da cidade, encontro mulheres nepalesas bonitas, algumas de traços bem orientais e outras morenas usando sari como na Índia. Vejo muitos homens com o *topi* tradicional e alguns com todo o traje típico do Nepal, que é também a roupa formal do país: camisão trespassado no pescoço, calça apertada da mesma cor, jaqueta ou paletó por cima, mais curto que o camisão, e *topi* na cabeça.

Tipos humanos como esses circulam entre riquixás e automóveis por ruas estreitas, pontuadas aqui e ali por templos e mulheres idosas acocoradas fumando discretamente *charos* – grandes charutos de maconha que são um hábito antigo na região. Kathmandu me parece neste primeiro dia exótica, diversificada, divertida e além de tudo agradável devido à temperatura amena como um clima de montanha.

No final da tarde vou à Durbar Square, a Praça do Palácio, o centro da Kathmandu antiga. É um dos conjuntos arquitetônicos antigos mais expressivos do mundo. Durante séculos, o Vale de Kathmandu esteve dividido em pequenos reinos que competiam para ver quem construía as cidades mais sensacionais. Nesse patrimônio arquitetônico que foi mantido, o destaque são os templos construídos no formato de pagodes com telhados múltiplos, estilo que, segundo alguns historiadores, saiu do Nepal para influenciar a arquitetura na China e no Extremo Oriente.

Ainda hoje, Durbar Square é um local de superlativos. Lá estão, além de um imponente palácio real, quase 30 templos e santuários hindus, todos em arquitetura tradicional nepalesa. Essa é a arquitetura da época de ouro da dinastia dos reis Malla, que teve seu apogeu nos séculos XVII e XVIII. O bom, no entanto, é que essa área não está reservada a visitantes, ou à indústria turística. Durbar Square é o centro vivo da cidade, onde pessoas normais circulam, sentam nas escadarias dos templos para observar o movimento e fazem compras.

Volto a pé, parando nas lojinhas de discos e encantado com a variedade de coisas à venda na cidade: roupas transadas, artesanato, cartões, livros, instrumentos, papéis de carta artesanais feitos de arroz. O comércio é uma tentação à parte e me traz de volta o velho drama: viajar por muito tempo sem comprar nada ou viajar por 15 dias e fazer uma boa feira de curiosidades. Encontro uma livraria chamada Pilgrims, uma das melhores de toda a Ásia. É aquele tipo de livraria meio em extinção onde a gente se perde nos corredores entupidos de livros interessantes. E se surpreende a cada final de corredor ao descobrir que tem mais uma sala adiante, ainda com mais livros. Kathmandu é uma daquelas cidades como São Francisco, na Califórnia, que de tão interessante eu me pergunto como é que eu não vim parar aqui antes.

Numa das manhãs em Kathmandu, peguei um táxi rumo a *stupa* de Swayambhunath. Aproveitei a deixa quando o motorista perguntou de onde eu era para perguntar a que grupo étnico ele pertencia. É difícil em alguns dias decifrar o mapa étnico do Nepal, mas não custa nada tentar. A diversidade humana dessa região é uma de suas maiores atrações. O motorista revelou ser tamang, o maior dos grupos de origem tibetano-birmanesa que habitam no Nepal. É curioso que no país há uma certa confusão em relação a etnia e casta: como parte da população adota aspectos do hinduísmo, muitas vezes a pergunta sobre o grupo étnico encontra como resposta a casta à qual o sujeito pertence.

É por isso que várias pessoas têm me dito que são *chhetris*. Essas pessoas, na realidade, são pertencentes à casta *chhetri*, equivalente aos xátrias ou guerreiros, na Índia. Os *bahuns* do Nepal são os brâmanes da Índia. Mas, em geral, as pessoas que se dizem *bahuns* ou *chhetris* são, na realidade, pertencentes ao grupo étnico majoritário Khas (de origem indo-ariana), que predomina no país desde a unificação do Nepal, em 1760.

Quando chego à *stupa* de Swayambhunath, tenho de subir uma grande escadaria em meio a mendigos e macacos. Mas o esforço compensa, porque lá de cima posso ver todo o grande vale onde fica Kathmandu. A *stupa*, dedicado ao budismo tibetano, é na verdade um pagode encantador. As *stupas* representam no budismo uma espécie de montanha cósmica, o eixo do mundo. Geralmente eram erguidos para abrigar relíquias sagradas ou para comemorar um acontecimento importante. Contam as lendas que esse local foi visitado há 2 mil anos pelo imperador Ashoka, responsável pela difusão do budismo em muitas partes do subcontinente e também no Nepal.

A *stupa* de Swayambhunath é formada por uma grande abóbada branca côncava, como o Senado Federal em Brasília. Em cima da abóbada há uma base quadrada em cor de ouro, onde estão pintados os olhos do Buda olhando em direção aos quatro pontos cardeais. No meio dos olhos, como se fosse um nariz, está escrito o número cardinal nepali *ek* (um), simbolizando a unidade. Acima desse bloco se erguem treze anéis concêntricos em forma de espiral que representam os 13 passos em direção ao nirvana. E, finalmente, acima de tudo está uma sombrinha representando o próprio nirvana. Entre a base e o guarda-chuva estão penduradas bandeirolas coloridas com mantras budistas escritos em tibetano.

Entre macacos e turistas, percorro todo o complexo do templo duas vezes observando os detalhes. Uma das presenças mais curiosas são os monges meninos com a cabeça raspada e vestindo camisa sem mangas e saiotes bordô sobre uma camisa amarelo berrante. Atrás da *stupa* de Swayambhunath há um albergue onde os peregrinos estão se servindo de uma refeição no estilo da cozinha comunitária dos sikhs, só que bem menor e mais pobre. Do lado contrário ao centro da cidade, a paisagem é composta por outros subúrbios de Kathmandu e por pequenos templos amarelos que se destacam em meio à folhagem verde. Apesar da sujeira e dos macacos por todos os lados, o lugar é espetacular.

Ao descer de volta à cidade, descubro lá embaixo uma série de *gompas*, pequenos templos budistas, todos muito bem conservados, pintados em cores fortes e de um bom gosto inigualável. Do lado de fora dos templos existem muitos rolos de oração. Esses rolos de bronze são colocados em eixos verticais para rodarem quando alguém passa a mão sobre eles, e na sua superfície estão gravados mantras budistas. Quando o fiel passa a mão e o rolo gira, é como se estivesse dizendo o mantra. Acompanho uma mulher que vai passando pelas *gompas* e fazendo girar os mais de 300 rolos em grupos de dez, ao longo dos pequenos templos.

Decido voltar ao centro a pé observando a vizinhança e a vida simples e calma da população nepalesa, sem estrangeiros por perto. Mas ao chegar perto de Thamel me perco feio e passo mais de uma hora andando, provavelmente em círculos, para conseguir chegar ao hotel.

À noite assisto um pouco da TV Nepal. A televisão é precária e centra suas notícias nas atividades do rei Birendra, que até 1990 era um monarca absolutista. Mesmo sem tantos poderes atualmente, Birendra ainda é uma referência para a política nacional e está presente em toda a mídia. O único canal de TV apresenta alguns programas em inglês, mas a grande maioria é em nepali. No final do telejornal, a apresentadora de sari termina a leitura das notícias com uma reverência, mãos postas, cabeça curvada e o tradicional *namaste*. Às 10h30, a programação se encerra com o hino do Nepal sendo acompanhado por imagens ufanísticas do reino do Himalaia.

Pode não parecer à primeira vista, mas há muita atividade política no Nepal, desde que aconteceu a democratização, em 1990, com a legalização de partidos e a instituição de um regime parlamentarista. Após a promulgação da constituição democrática naquele ano, têm havido várias mudanças de governo e o país chegou a ser governado duas vezes pelo Partido Comunista do Nepal — Unido, Marxista e Leninista. A primeira vez foi durante nove meses em 1995 e a segunda agora, durante a nossa estada em Kathmandu. Em 1996, os dirigentes de uma tal Frente Popular Marxista Unida — nada a ver com os comunistas no poder — lançaram uma "guerra de libertação" no oeste do país, preocupando os governos de todo o subcontinente. A onda vermelha fez com que a revista nepalesa *Independent* publicasse uma reportagem afirmando que Marx se mudou da Europa do Leste e está vivendo agora no Himalaia.

Começamos mais um dia com um café da manhã reunindo o grupo no restaurante Northfields, com mesas e cadeiras em um belo jardim, ambiente de bom gosto com música indiana e depois música clássica ocidental. É um local caro, mas vale como novidade. Harry me pergunta se estou gostando de Kathmandu. Respondo que, depois de tudo que a gente passou na viagem, isto aqui é um paraíso. Pergunto se ele lembra das estradas do Paquistão.

Ute vai seguir com o caminhão de volta à Índia. Celene pega hoje o avião para Sidney. E Harry e Louise vão seguir para uma cidadezinha de onde pretendem avistar o Everest. O café da manhã é nossa despedida. Trocamos olhares com tristeza sabendo que, mesmo não tendo muito em comum, as dificuldades da expedição nos uniram. Peço que mantenham contato e apareçam no Brasil.

— Eu vou estar pela África no próximo ano. A gente vai se ver por aí — diz Harry.

Mas o Vale de Kathmandu e suas atrações quase circenses não me deixam cair na nostalgia. Sigo de furgão pela estrada que vai ao Tibete. Vou à antiga cidade de Bhaktapur, uma maravilhosa concentração de templos e arquitetura tradicional, a meia hora de Kathmandu.

Primeiro visitamos o antigo palácio real onde durante um dos muitos festivais anuais da área se leva ao sacrifício cerca de 180 búfalos, além de outros animais e aves como patos e galinhas. O sangue é oferecido à deusa Durga — a manifestação terrível de Parvati, a mulher de Shiva — e a carne é comida pelo povo. O abate é feito usando-se as enormes facas dos *gurkas*, os mercenários que fazem parte das forças armadas britânicas. É o lado mais assustador da cultura popular do Nepal.

Mas além desse palácio, Bhaktapur é uma maravilhosa coleção de templos e edifícios antigos, provenientes do tempo da dinastia dos reis Malla que governaram a área entre 1428 e 1769. Os templos são construídos num estilo semelhante aos da Durbar Square de Kathmandu.

Na Praça Taumadhi Tole, está a construção mais alta da cidade, o antigo Templo de Nyatapola, com 30 metros de altura. Ao contrário de muitos outros monumentos do vale, esse templo escapou ileso ao grande terremoto de 1934 que destruiu a área. O que mais chama a atenção é que, por ser uma cidade bem menor, Bhaktapur dá a impressão de ser um local mais característico, uma verdadeira volta no tempo. No centro da cidade, a circulação de automóveis foi proibida, desde que começou um projeto de preservação urbana com dinheiro de países europeus.

Andar pelas pequenas ruas do centro — onde mulheres espalham arroz no calçamento para separar os grãos — é como penetrar na vida do Nepal tradicional, que segue vivendo com seus costumes exóticos para os padrões ocidentais. Talvez nessa cidade possamos ter um gosto mais aproximado do Nepal do passado, um país que, depois de passar 105 anos totalmente isolado do mundo exterior, só abriu suas fronteiras em 1951.

Em seguida, fui ao templo hindu de Pashupatinath, onde voltamos à rotina de sujeira, *sadhus* e pó de *tika*. Esse é o mais importante templo hindu do Nepal. É dedicado a Pashupati, a manifestação benéfica do deus Shiva, e é local de peregrinações. A entrada é só para hindus, mas no portão principal vejo uma estátua do imenso touro Nandi, que exibe seus imensos testículos dourados. Nandi vem a ser o "veículo" de Shiva.

O hinduísmo continua a me surpreender. Como acontece na Índia, em muitos templos dedicados a Shiva (o deus responsável pela preservação da espécie) há estátuas do *lingam*, uma figura fálica que representa a capacidade reprodutora de Shiva. No Nepal há também representações da *yoni* (vagina) de Parvathi, a mulher de Shiva. Pois nas redondezas de Pashupatinath, me informa um guia, chega a existir mesmo um local chamado Templo de Guhyeshwari, que em nepali quer dizer "Templo da Deusa Vagina" para homenagear Kali, uma das manisfetações de Parvathi.

A próxima parada é Bouddhnath, um belo templo ao budismo tibetano. Bouddhnath é a maior *stupa* do país e começou a ser construída a partir do ano 600 da nossa era. Sobre a grande concha (abóbada) maciça em cor branca, com tintas amarelas jogadas sobre ela aleatoriamente, fica uma base quadrangular onde estão pintados os olhos azuis do Buda. Acima deles estão os 13 degraus representando o caminho para o nirvana. Bouddhnath para mim superou a beleza de todos os outros templos. Toda a *stupa* é construída sobre uma plataforma em formato de mandala, que representa o planeta terra. Em torno da plataforma há 147 nichos, cada um com quatro ou cinco rolos de orações e mantras. Tradicionalmente a *stupa* servia como lugar de orações para os viajantes que cruzavam o Himalaia em direção ao Tibete.

O que torna Bouddhnath ainda mais fascinante é o fato de a *stupa* ficar situado em um bairro tipicamente tibetano. Desde que os chineses ocuparam o Tibete em 1950, cerca de 120 mil pessoas deixaram o país e cerca de 12 mil tibetanos vivem atualmente no Nepal, a maioria em Kathmandu. Muitos deles moram no bairro em torno de Bouddhnath, onde há uma série de *gompas* coloridas, lojas de artesanato e ruelas onde mulheres altas de cabelo liso percorrem as ruas usando trajes típicos do Tibete: uma espécie de quimono com um avental coloridíssimo.

Volto ao centro de Kathmandu e de lá me dirijo de motorriquixá a Patan, outra cidade no vale, conhecida pela arquitetura exuberante do centro histórico. Antes de chegar à área preservada, enfrentamos um engarrafamento causado por uma procissão na qual mulheres em roupas tradicionais portam grandes peneiras e seguem espalhando arroz pelas ruas ao som de flautas tocadas por homens. Um homem velho é levado em um andor com coroas de flores no pescoço. No Nepal existe um sincretismo de hinduísmo, budismo e práticas animistas de difícil compreensão, o que torna o país de certa forma ainda mais exótico do que a Índia, do ponto de vista religioso.

Uma viagem *overland* para o Oriente deve terminar em Freak Street. Mantendo a tradição, é para lá que eu me dirijo neste final de tarde. Freak Street, ou Rua do Maluco, servia de ponto final no Oriente para o êxodo hippie dos anos 60 e 70. Se tudo começava lá na Pudding Shop, na longínqua Istambul, era aqui em Kathmandu, nessa rua tranqüila a poucos metros da Durbar Square, que os hippies do Ocidente desembarcavam para dar um tempo no Nepal.

Converso com Ajay Man Chhochoon, um nepalês dono da Friend´s Guest House, uma hospedaria modesta que fica numa transversal da Freak Street. Ajay era adolescente em Kathmandu quando surgiu o mito de Freak Street com a chegada dos primeiros hippies.

— O Nepal era um país totalmente livre e os hippies vinham atraídos pelo haxixe fácil e pela liberdade — conta Ajay. E acrescenta com naturalidade:

— Aqui o costume é não interferir na vida das outras pessoas. Então, se um hippie tirava a roupa para andar na Durbar Square, o habitante local ficava meio confuso, mas não dizia nada contra; talvez isso fosse o costume no Ocidente e não podíamos fazer nada.

Mas por que os hippies elegeram justamente essa rua como centro da contracultura na cidade? Ajay conta que, na época, Kathmandu tinha apenas uns poucos hotéis para estrangeiros, conhecidos como "hotéis para indianos". Freak Street surgiu como alternativa barata a esse esquema. Além disso, ficava a apenas alguns metros do centro cultural da cidade, os incríveis templos da Durbar Square. Começaram a surgir hospedarias para acomodar os hippies e, na época áurea, a rua chegou a concentrar mais de 20 pensões. Um diversificado mercado de drogas — muitas delas legais no Nepal na época — se formou em torno do local. O clima de liberdade ficou conhecido internacionalmente e Kathmandu passou a ser parada obrigatória para os hippies que vagabundavam pela Ásia.

Havia restaurantes como o Hungry Eye onde hoje é uma agência de viagem chamada Delight Travel e o Don't Pass Me By (título de uma música dos Beatles de 1968), onde hoje funciona o restaurante Maggi. Esses restaurantes vendiam os famosos bolinhos psicodélicos e se transformaram no centro da cena alternativa na cidade que culminou com a produção do filme *Os Caminhos de Kathmandu*. Até que a partir de meados dos anos 70, os governos ocidentais começaram a pressionar o Nepal para combater o tráfico de drogas e a área começou a mudar. A partir de 1979, a rota *overland* para o Oriente foi interrompida de vez pela revolução no Irã e a Freak Street entrou em decadência.

Paralelamente, houve o fenômeno do turismo de massa, e Thamel, ao norte do centro, começou a atrair a grande maioria dos estrangeiros. Hoje Freak Street, meio como a área de Haight-Ashbury, em São Francisco, sobrevive como uma curiosidade de épocas passadas. Mas ainda atrai a sua fauna de hipongos na estrada — hoje muitos deles são japoneses. Ainda há restaurantes vegetarianos, lojas de artesanato e, discretamente, vendedores de drogas nas esquinas.

Ajay, que é também membro de um comitê para regeneração da área, diz que há uma campanha para "limpar" o nome da rua para que o comércio local passe a atrair os turistas que hoje gastam dinheiro apenas em Thamel.

— Estamos até querendo nos livrar desse nome "Freak Street" e lentamente estamos tentando introduzir o verdadeiro nome da rua, que é Jochne — diz Ajay.

Na sua hospedaria, Ajay proíbe o consumo de drogas e até ameaça expulsar o hóspede que chegar com sinais de ter consumido substâncias ilegais. Mas não deixa de dizer que, de certa forma, sente saudades do passado. Em alguns quartos da hospedaria, ele mantém nas paredes os desenhos psicodélicos feitos há muitos anos por hóspedes hippies.

Saio de Freak Street pensando em tudo que ouvira de Ajay, checando informações, comparando a aventura hippie do passado com a nossa aventura presente — mais pé no chão, burocrática e confortável, menos dionisíaca e divertida.

Em Durbar Square, uma grande feira de frutas entra pela noite. O movimento no pátio entre os templos é intenso como sempre. Fico parado ali diante da grandiosidade do Templo de Taleju, em meio ao caos do começo da noite entre pedestres e riquixás. A fumaça no ar é realçada pelos holofotes que iluminam os monumentos. Na cabeça circulam todas as informações e visuais do dia, as histórias estranhas, os mitos e rituais grotescos deste país. Kathmandu parece ser o clímax esperado de uma viagem que realmente tinha esse objetivo, ver costumes exóticos, um modo diferente de viver a vida, longe do frio materialismo e da pobreza espiritual do Ocidente.

De todas as sensações exóticas que começaram na Grécia, o Nepal parecia mesmo ser o máximo. Parece até que essa rota de Londres até aqui foi feita de propósito: no início submete o viajante ao rigor religioso e à purificação dos desertos do Oriente Médio. Depois o recompensa com as cores da Índia e com as paisagens hedonísticas do Nepal.

Volto a pé para o hotel. Esta semana acontece o Deepavali, ou Festival das Luzes, e todas as ruas e lojas estão claras e iluminadas. Há explosões de fogos no ar. O Deepavali coincide também com a celebração do Ano-Novo pelo povo newar, o principal grupo étnico do Vale de Kathmandu. Desejo a eles um feliz Ano Novo de 1117, pelo calendário newar. Passo numa loja, compro em *topi* para mim e uma bolsa artesanal tibetana para minha namorada. E vou jantar feliz por estar em Kathmandu.

Em meu último dia no Nepal, acordei em ritmo de quem tem ainda muito o que fazer. Fui novamente à Freak Street para tirar umas fotos na luz da manhã e me meti num terrível engarrafamento de ciclorriquixás. Voltei a Thamel e ainda houve tempo para circular no bairro tentando absorver ao máximo o colorido e as energias positivas da cidade. Corri para o hotel a fim de terminar de arrumar a mochila. No Hotel Garuda, deixei para trás, com muita pena, uma esteira de camping que me acompanhava há mais de seis anos. Na recepção todos foram muito simpáticos.

— Namaste, my friends! É hora de ir embora.

Acompanhado de quatro amigos e mais um motorista, seguimos em um táxi apertado pelas ruelas de Kathmandu rumo ao aeroporto. A mochila está no bagageiro lá de trás, mas o que tenho de mais valioso está comigo na bolsa de mão. São estes cadernos de anotações onde registrei alguns dos melhores momentos da viagem. Outras viagens virão certamente, para dividir o espaço na memória com as lembranças atuais. Mas com estas anotações, eu tento não esquecer as aventuras e o grande deslumbramento que me acompanharam na estrada de Londres a Kathmandu.

Este livro foi composto na tipologia Goudy em
corpo 11/14,5 e impresso em papel off-set 90g/m²
no Sistema Cameron da Divisão Gráfica da
Distribuidora Record.

Seja um Leitor Preferencial Record
e receba informações sobre nossos lançamentos.
Escreva para
RP Record
Caixa Postal 23.052
Rio de Janeiro, RJ – CEP 20922-970
dando seu nome e endereço
e tenha acesso a nossas ofertas especiais.

Válido somente no Brasil.

Ou visite a nossa *home page*:
http://www.record.com.br